Guide to the Essentials of

American Government

Spanish Edition

Needham, Massachusetts

Upper Saddle River, New Jersey

Glenview, Illinois

To the Teacher

The *Guide to the Essentials of American Government, Spanish Edition,* is designed to provide students with the most essential content in their high school government or civics course in an easy-to-follow format. The text summaries and review questions will help students organize and comprehend key information. Vocabulary terms are highlighted and defined in the text narrative, as well as in the glossary. A chapter test at the end of each chapter checks students' understanding of the basic content.

You may wish to use the *Guide to the Essentials* as a preview or review of the textbook chapters covered in the course, or as a summary of textbook chapters that cannot be studied in detail because of time considerations.

Consultants
William A. McClenaghan
Department of Political Science
Oregon State University
Corvallis, Oregon

Bonnie Armbruster
Professor of Education
University of Illinois at Urbana-Champaign
Urbana, Illinois

Development
Prentice Hall and
Publicom, Inc.
Acton, Massachusetts

ISBN 0-13-043841-3

Printed in the United States of America

1 2 3 4 5 6 7 8 9 10 05 04 03 02 01

Contenido

UNIDAD 5 La rama judicial

UNIDAD 6 Comparación de sistemas políticos y económicos

UNIDAD 7 Participación en el gobierno local y estatal

Los seis principios fundamentales de gobierno

La Constitución de los Estados Unidos se basa en seis principios fundamentales de gobierno. Los artífices de la Constitución hicieron uso de sus conocimientos y de su experiencia para redactar un documento que dicta "la ley suprema del territorio". Las descripciones que aparecen al principio de cada unidad te ayudarán a ver cómo los seis principios y la propia Constitución han servido de guía flexible y duradera para gobernar la nación por más de 200 años.

La soberanía popular

El preámbulo de la Constitución comienza con la siguiente frase: "Nosotros el pueblo..." Estas palabras declaran que en los Estados Unidos es el pueblo quien establece el gobierno y quien le otorga autoridad. El pueblo es soberano. Debido a que el gobierno recibe su poder del pueblo, sólo puede gobernar con su consentimiento.

El gobierno limitado

Como el pueblo es la fuente del poder del gobierno, el gobierno cuenta solamente con la autoridad que le concede el pueblo. De hecho, gran parte del texto de la Constitución consiste en restricciones específicas sobre el poder del gobierno. Un gobierno limitado significa que ni el gobierno ni ninguno de sus funcionarios queda fuera del alcance de la ley ni puede infringir los límites constitucionales impuestos.

LA SEPARACIÓN DE PODERES

El poder del gobierno no sólo es limitado, sino que también está dividido. La Constitución le asigna poderes específicos a cada una de las tres ramas: la legislativa (el Congreso), la ejecutiva (el presidente) y la judicial (los tribunales federales). La separación de poderes se instauró con el fin de impedir el abuso de autoridad por parte de cualquiera de las ramas del gobierno.

LOS PESOS Y CONTRAPESOS

El sistema de pesos y contrapesos amplía las restricciones establecidas por la separación de poderes. A cada rama del gobierno se le ha incorporado la autoridad y la responsabilidad de imponerle limitaciones al poder de las otras dos ramas. El sistema le resta eficiencia al gobierno, pero también lo protege de la tiranía por parte de cualquier rama del gobierno.

LA REVISIÓN JUDICIAL

¿A quién le corresponde decidir si una acción del gobierno rebasa los límites impuestos por la Constitución? Históricamente, los jueces de los tribunales federales han tomado esas decisiones. El principio de la revisión judicial se estableció desde los orígenes de la historia de la nación. Significa que los tribunales federales tienen la autoridad para examinar las acciones del gobierno y anular o cancelar cualquiera que consideren inconstitucional, es decir, que infrinja lo que se dispone en la Constitución.

EL FEDERALISMO

Un sistema federal divide el poder entre el gobierno central y los gobiernos locales de menor tamaño. El poder compartido pretende garantizar que el gobierno central tenga suficiente autoridad para ser efectivo sin llegar a tener tanta que represente una amenaza para los estados o para los ciudadanos. También permite que cada estado resuelva los problemas locales a nivel local, siempre y cuando sus acciones sean constitucionales.

Los principios del gobierno

EL GOBIERNO Y EL ESTADO

RESUMEN DEL TEXTO

El **gobierno** es la institución mediante la cual la sociedad elabora y hace cumplir sus **políticas públicas,** es decir, todo aquello que un gobierno decide hacer. Todos los gobiernos cuentan con tres tipos de poder: el **poder legislativo,** es decir, el poder para fijar las leyes; el **poder ejecutivo,** es decir, el poder para poner en práctica las leyes; el **poder judicial,** es decir, el poder que le permite interpretar las leyes y resolver disputas. Estos poderes suelen estar reflejados en una **constitución,** que es el conjunto de leyes que establecen la estructura, los principios y la manera de actuar de un gobierno.

En una **dictadura,** una persona o un grupo reducido ejerce todos los poderes del gobierno. En una **democracia,** la autoridad suprema del gobierno reside en el pueblo.

La unidad política predominante actualmente en el mundo es el **estado,** que es un colectivo de habitantes que reside en un territorio definido, denominado nación o país. Cada estado tiene su propio gobierno **soberano,** es decir, goza de poder absoluto.

El Preámbulo de la Constitución estadounidense describe los objetivos del Gobierno Federal de los Estados Unidos. Establece que el gobierno tiene por objetivo formar una unión más perfecta o mantener los diferentes estados en constante colaboración; establecer la justicia; garantizar la tranquilidad doméstica, es decir, mantener el orden público; proveer medios para la defensa común; promover la prosperidad y garantizar las ventajas de la libertad.

La idea PRINCIPAL

Un gobierno procura que una sociedad pueda llevar a cabo su política y protege a sus ciudadanos de la violencia y la injusticia.

PREGUNTA DE REPASO

¿Cuál es la diferencia entre un estado y un gobierno?

SECCIÓN 2

FORMAS DE GOBIERNO

RESUMEN DEL TEXTO

La idea **PRINCIPAL**

Los Estados Unidos son una democracia con un sistema presidencial y de gobierno federal.

Los gobiernos pueden clasificarse de tres maneras. La primera clasificación se define en función de quién puede participar en el gobierno. En una democracia, la autoridad política suprema reside en el pueblo. Todas las dictaduras son autoritarias, lo cual quiere decir que el gobernante cuenta con una autoridad absoluta sobre el pueblo. Una dictadura puede ser totalitaria, en cuyo caso, los gobernantes controlan casi por completo todos los aspectos que afectan la vida de las personas. La dictadura también puede ser una **autocracia,** en la que una persona ostenta un poder político ilimitado, o una **oligarquía,** en la que una pequeña élite o grupo selecto acapara el poder para gobernar.

La segunda clasificación se define en función de dónde recae el poder para gobernar. En un **gobierno unitario,** una sola administración central asume todos los poderes gubernamentales. En un **gobierno federal,** un gobierno central y diversos gobiernos locales comparten los poderes gubernamentales mediante lo que se denomina **división de poderes.** Como la Constitución divide el poder entre el Gobierno Nacional y los estados, el gobierno de los Estados Unidos se considera federal. Un sistema federal es distinto a una **confederación,** que es una alianza de estados independientes.

La tercera clasificación describe la relación entre la rama legislativa y la ejecutiva del gobierno. Un **gobierno presidencial** divide el poder entre las dos ramas, mientras que un **gobierno parlamentario** concentra el poder en la rama legislativa. En un gobierno parlamentario, la rama ejecutiva es elegida por la rama legislativa y está sujeta a ésta última.

PREGUNTA DE REPASO

¿En qué sentido es el gobierno de los Estados Unidos un ejemplo de la división de poderes?

CONCEPTOS BÁSICOS DE LA DEMOCRACIA

RESUMEN DEL TEXTO

El concepto estadounidense de la democracia está basado en cinco nociones básicas. En primer lugar, todos los individuos tienen valor. En segundo lugar, todos los individuos son iguales. En tercer lugar, las decisiones se hacen por mayoría, pero esa mayoría debe respetar los derechos de las minorías. En cuarto lugar, se considera que los **acuerdos mutuos** son necesarios, es decir, aquellos por los cuales ambas partes ceden y acomodan sus distintos intereses. En quinto lugar, cada individuo debe gozar del máximo nivel de libertad posible.

El compromiso de los Estados Unidos con la libertad queda plasmado en el sistema económico de la nación. Este sistema, que suele denominarse **sistema de libre comercio,** está basado en la propiedad privada, la iniciativa de los individuos, el lucro y la competencia. También llamado capitalismo, este sistema no depende del gobierno cuando se deben tomar decisiones de índole económica, sino de los individuos quienes toman tales decisiones por medio de la **ley de la oferta y la demanda.** Esta ley indica que cuando la oferta (o disponibilidad) de bienes y servicios es abundante, los precios tienden a bajar, y cuando la oferta escasea, los precios tienden a aumentar. El sistema económico estadounidense es, más propiamente dicho, una **economía mixta,** puesto que el gobierno de la nación sí interviene en la economía, regulándola e incentivándola.

La idea PRINCIPAL

La democracia se basa en los derechos y libertades de los individuos; el compromiso de los Estados Unidos con estos ideales queda claramente reflejado en su sistema de libre comercio.

PREGUNTA DE REPASO

¿Cómo funciona la ley de la oferta y la demanda?

Nombre ______________________ Clase ______________ Fecha ________

CAPÍTULO 1 Prueba

IDENTIFICAR LAS IDEAS PRINCIPALES

Escribe la letra de la respuesta correcta en el espacio en blanco. (10 puntos cada una)

____ **1.** Una constitución

A. establece los procesos de un gobierno.
B. establece la estructura de un gobierno.
C. establece los principios de un gobierno.
D. Todas las respuestas anteriores son correctas.

____ **2.** ¿Cómo se llama un gobierno en el que ejerce el poder una sola persona?

A. una democracia
B. una dictadura
C. un gobierno presidencial
D. un gobierno unitario

____ **3.** Por definición, un estado cuenta con un colectivo de habitantes que reside en un territorio definido, y con

A. un gobierno soberano.
B. una oligarquía.
C. una democracia.
D. un parlamento.

____ **4.** Todas las dictaduras son

A. totalitarias.
B. representativas.
C. autoritarias.
D. parlamentarias.

____ **5.** El gobierno de los Estados Unidos es

A. federal.
B. unitario.
C. parlamentario.
D. autoritario.

____ **6.** En una democracia, la autoridad suprema la ostenta

A. el estado.
B. el pueblo.
C. una élite.
D. los gobernantes.

____ **7.** Un sistema de gobierno unitario se caracteriza por

A. un poder único y centralizado.
B. gobernantes que controlan todo lo que afecta a las personas.
C. una división de poder entre un gobierno central y distintos gobiernos locales.
D. una rama de gobierno predominante.

____ **8.** ¿Qué otra característica debe acompañar al gobierno de la mayoría, según el concepto estadounidense de democracia?

A. libertad absoluta
B. gobierno totalitario
C. gobierno presidencial
D. respeto a los derechos de las minorías

____ **9.** En un gobierno presidencial,

A. el presidente y la asamblea legislativa pertenecen siempre al mismo partido político.
B. el presidente es elegido por la asamblea legislativa.
C. la rama ejecutiva y la rama legislativa comparten poderes.
D. la rama ejecutiva y la rama legislativa tienen los mismos poderes.

____ **10.** La mejor definición de la economía estadounidense es

A. capitalismo.
B. economía mixta.
C. economía libre.
D. la oferta y la demanda.

Los orígenes del gobierno estadounidense

NUESTROS PRIMEROS PASOS EN LA POLÍTICA

RESUMEN DEL TEXTO

Los colonos trajeron consigo a Norteamérica sus conocimientos sobre el sistema político inglés, con sus tres ideas fundamentales sobre el gobierno. La primera idea era la de un gobierno ordenado. Esto significa que las reglas de un gobierno deben contribuir a la convivencia entre las personas. La segunda idea, la del **gobierno limitado,** significa que el gobierno cuenta con un poder restringido. La tercera idea, la del **gobierno por representación,** quiere decir que el gobierno debe servir al pueblo.

La tradición inglesa del gobierno surgió a raíz de tres documentos históricos. La **Carta Magna** (1215) promulgó que el rey no tenía un poder absoluto, y protegió los derechos a un juicio ante un jurado y con debido procedimiento legal. La **Petición de Derechos** (1628) decretó que el monarca no podía usar al ejército para gobernar en tiempo de paz, ni permitir que los soldados vivieran en los hogares de las personas. La **Declaración de Derechos y Libertades Inglesa** (1689) prohibió la existencia de un ejército en tiempos de paz, garantizó los juicios justos y rápidos, y aseguró que todas las elecciones parlamentarias fueran libres.

Los tres tipos de colonias inglesas educaron a los colonos en el arte de gobernar. Todas las colonias estaban basadas en una **cédula real,** que era un documento por el que el rey concedía cierta autoridad. Las colonias reales estaban regidas directamente por la corona. Las colonias en **propiedad** estaban organizadas por una persona al que el rey le había cedido tierras. Las colonias fundadas mediante cédula real estaban basadas en cédulas concedidas directamente a los colonos. La mayor parte de las colonias disponía de una asamblea legislativa **bicameral** (compuesta por dos cámaras), aunque la de Pensilvania era **unicameral** (compuesta por una sola cámara).

La idea PRINCIPAL

La tradición inglesa de gobierno por representación, ordenado y limitado, sirvió de base para los gobiernos coloniales.

PREGUNTA DE REPASO

¿Cuáles eran las tres ideas fundamentales sobre el gobierno en la tradición inglesa?

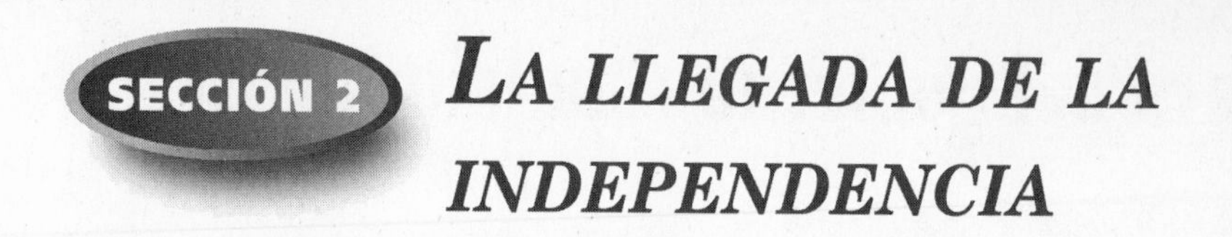

LA LLEGADA DE LA INDEPENDENCIA

RESUMEN DEL TEXTO

La idea PRINCIPAL

A medida que la política británica las iba conduciéndolas hacia la independencia, las colonias fueron desarrollando nuevas formas de gobierno.

En la década de 1760, Gran Bretaña se involucró más en el gobierno de sus colonias. Estableció nuevos impuestos y leyes que hicieron que los colonos objetaran a lo que denominaron "impuestos sin representación".

Los colonos reaccionaron ante los cambios en la política británica unificándose poco a poco. Los estados de Nueva Inglaterra ya habían formado una **confederación,** o unión por una causa común, en el siglo anterior. En 1754, el **Plan de Unión de Albany** de Benjamín Franklin propuso un congreso compuesto por **delegados** de todas las colonias, pero tanto las colonias como el rey rechazaron el plan.

Doce de las trece colonias se reunieron en el Primer Congreso Continental de 1774 para organizar su oposición a la dura política británica y a las sanciones impuestas a los colonos que se resistían. Uno de los métodos de oposición fue el **boicot,** que consistía en negarse a comprar bienes británicos. Los colonos esperaban obligar a los británicos a **revocar,** o cancelar, los tan odiados reglamentos.

Finalmente, los colonos se prepararon para el combate. La guerra de la Independencia Norteamericana comenzó el 19 de abril de 1775. El 10 de mayo de 1775 se inauguró el Segundo Congreso Continental que se convirtió en el primer gobierno de los nuevos Estados Unidos y promulgó la Declaración de Independencia.

Los nuevos estados redactaron constituciones. Una constitución es el conjunto básico de leyes que forman un gobierno. Todas las constituciones de los estados compartían el principio de la **soberanía popular,** es decir, que un gobierno puede existir sólo con el consentimiento del pueblo gobernado.

PREGUNTA DE REPASO

¿Cómo se llamó el primer gobierno de los Estados Unidos?

SECCIÓN 3

EL PERÍODO CRÍTICO

RESUMEN DEL TEXTO

La década de 1780 fue problemática para los Estados Unidos. Aunque los estados deseaban establecer un gobierno permanente, no querían concederle demasiado poder a dicho gobierno.

Los 13 estados **ratificaron** (o aprobaron formalmente) los **Artículos de la Confederación** en 1781. Estos artículos establecieron un gobierno que aliaba a los estados en una unión flexible. También crearon un gobierno central que solamente contaba con el poder de formar un ejército y una marina, declarar la guerra y la paz, y resolver disputas entre los diferentes estados. Este gobierno tenía un solo poder o rama, el Congreso, que era unicameral y en el que cada estado tenía un voto. Todos los años, el Congreso debía nombrar como **presidente** a uno de sus miembros.

El Gobierno Nacional no tenía el poder de obligar a los estados a obedecer ni los Artículos de la Confederación ni las leyes aprobadas por la asamblea legislativa. Los estados tenían la capacidad de fijar impuestos y de acuñar su propia moneda. Una revuelta en Massachusetts convenció a muchos dirigentes de que los estadounidenses debían fortalecer el gobierno.

Los delegados de Maryland y de Virginia se dieron cita en Mount Vernon, Virginia, para resolver sus problemas de comercio. El éxito de esta cumbre dio paso a otra reunión en Annapolis, Maryland, para tratar de resolver algunos de los problemas de la nación. Sólo cinco estados enviaron delegados, y éstos concertaron otra reunión en Filadelfia, Pensilvania, que se convirtió en la Convención Constitucional.

La idea PRINCIPAL

Las deficiencias de los Artículos de la Confederación provocó un mayor deseo por un gobierno central más fuerte.

PREGUNTA DE REPASO

¿Qué eran los Artículos de la Confederación?

SECCIÓN 4 La redacción de la Constitución

RESUMEN DEL TEXTO

> La idea **PRINCIPAL**
>
> **Los delegados de la Convención Constitucional crearon una nueva forma de gobierno para una nueva nación.**

En 1787, 55 delegados de 12 estados se dieron cita en Filadelfia para modificar los Artículos de la Confederación. Estos delegados, conocidos más adelante como **artífices** de la Constitución, pronto decidieron redactar una nueva constitución.

Los delegados de Virginia fueron los primeros en presentar un plan. El **Plan de Virginia** sugería el establecimiento de tres poderes en el gobierno: el poder ejecutivo, una asamblea legislativa bicameral y las cortes. La cantidad de representantes que cada estado podía enviar a la asamblea legislativa tenía que ver con su riqueza y con su número de habitantes. Los estados más pequeños se opusieron a este plan.

El **Plan de Nueva Jersey** presentaba un gobierno sin poderes importantes ni separados. También proponía una asamblea legislativa unicameral formada por un mismo número de representantes de cada estado.

El **Acuerdo de Connecticut** reunió los puntos básicos de los planes de Virginia y de Nueva Jersey. Establecía la existencia de dos cámaras en el Congreso. En el Senado (de menor tamaño) todos los estados contarían con la misma representación. En la Cámara de Representantes, que era de mayor tamaño, los estados estarían representados según su número de habitantes.

La Constitución se convirtió en un documento de acuerdos que fueran aceptados por todos. El **Acuerdo de los Tres Quintos** determinó que los estados podían contar tres quintas partes de sus esclavos como parte de su población, lo que incrementó su representación en la Cámara de Representantes. El **Acuerdo Mercantil y de Comercio de Esclavos** prohibía al Congreso fijar impuestos sobre las exportaciones de los estados, así como emprender acciones contra el comercio de esclavos en los siguientes 20 años. Los artífices firmaron muchos otros acuerdos antes de dar por finalizada su labor el 17 de septiembre de 1787.

PREGUNTA DE REPASO

¿Por qué se opusieron los estados pequeños al Plan de Virginia?

SECCIÓN 5 LA RATIFICACIÓN DE LA CONSTITUCIÓN

RESUMEN DEL TEXTO

Los artífices de la Constitución decidieron que, para que la Constitución entrase en vigor, debían ratificarla al menos nueve de los 13 estados. Los estadounidenses se encontraban muy divididos en su opinión sobre la Constitución.

Se formaron dos grupos durante el proceso de ratificación: los **federalistas,** que estaban a favor de ratificar la Constitución, y los **antifederalistas,** quienes se oponían a la Constitución por completo. Los federalistas resaltaban las deficiencias de los Artículos de la Confederación. Los antifederalistas atacaban casi todos los puntos de la Constitución, pero había dos aspectos que daban lugar a la mayor parte de sus críticas: (1) el aumento de los poderes concedidos al gobierno central y (2) la ausencia de una declaración de derechos que defendiera las libertades básicas, como la libertad de expresión y la de culto.

La controversia por la ratificación fue intensa en varios estados, especialmente en Virginia y en Nueva York. Los federalistas triunfaron finalmente en ambos estados.

Una vez que once estados ratificaron la Constitución en 1788, los estados convocaron elecciones para elegir al nuevo presidente. El primer congreso del nuevo gobierno nacional se reunió en marzo de 1789. Al no haber **quórum,** o una mayoría de sus miembros presentes, los votos electorales no pudieron ser contados hasta el 6 de abril. Fue entonces que George Washington fue nombrado presidente.

La idea PRINCIPAL

Tras un largo debate, la Constitución fue ratificada por nueve estados, convirtiéndose en la ley suprema de la nación.

PREGUNTA DE REPASO

¿Quiénes eran los federalistas?

Nombre ______________________ Clase ______________ Fecha ________

CAPÍTULO 2 Prueba

IDENTIFICAR LAS IDEAS PRINCIPALES

Escribe la letra de la respuesta correcta en el espacio en blanco. (10 puntos cada una)

____ **1.** Un gobierno por representación

A. sirve al pueblo.
B. crea reglas para la convivencia cívica.
C. tiene poderes limitados.
D. debe obedecer al rey.

____ **2.** ¿Qué es la Carta Magna?

A. un plan para un nuevo gobierno de los Estados Unidos
B. un documento de las colonias que enumera los derechos constitucionales del pueblo
C. un documento inglés que limitaba los poderes del rey
D. un intento de Benjamín Franklin por unificar las colonias

____ **3.** El primer gobierno nacional de los Estados Unidos fue

A. el Primer Congreso Continental.
B. el Segundo Congreso Continental.
C. los Artículos de la Confederación.
D. la Constitución de los Estados Unidos.

____ **4.** ¿Cuál de los siguientes documentos fue un plan de gobierno para los estados durante la guerra de la independencia?

A. el Plan de Unión de Albany
B. los Artículos de la Confederación
C. la Declaración de Independencia
D. la Petición de Derechos

____ **5.** Todas las constituciones redactadas por los estados compartían

A. una declaración de derechos.
B. un gobernador.
C. una asamblea legislativa unicameral.
D. el principio de la soberanía popular.

____ **6.** El gobierno que describen los Artículos de la Confederación es

A. un gobierno nacional poderoso.
B. un gobierno controlado por el rey y el Parlamento.
C. una unión de estados con un presidente cuyo poder es casi ilimitado.
D. una sólida alianza de amistad.

____ **7.** El Plan de Virginia proponía

A. contar a los esclavos como tres quintas partes de una persona.
B. un gobierno con tres poderes separados.
C. una asamblea legislativa de una cámara.
D. una declaración de derechos.

____ **8.** Según el Acuerdo de Connecticut, la asamblea legislativa estaría formada por

A. dos cámaras. En una los representantes serían elegidos por los estados; el Presidente nombraría a los miembros de la segunda.
B. una cámara en la que cada estado tendría un voto.
C. dos cámaras. En la cámara menor todos los estados estarían representados por igual; en la cámara mayor el número de representantes dependería de su número de habitantes.
D. una cámara en la que los estados estarían representados según su riqueza y su número de habitantes.

____ **9.** Para que la Constitución se convirtiera en ley, ¿cuántos estados tenían que ratificarla?

A. 1
B. 9
C. 11
D. 13

____ **10.** ¿Quién ganó el debate sobre la ratificación de la Constitución?

A. los colonos
B. los federalistas
C. los representantes
D. los antifederalistas

La Constitución

LOS SEIS PRINCIPIOS BÁSICOS

RESUMEN DEL TEXTO

En un principio, la Constitución estaba compuesta por un **Preámbulo,** o introducción, y siete secciones denominadas **artículos.** Los artífices de la Constitución redactaron el preámbulo y los artículos basándose en las siguientes seis ideas generales o principios.

La soberanía popular defiende que el pueblo es la fuente de donde se deriva todo el poder del gobierno.

Gobierno limitado quiere decir que el gobierno dispone solamente de la autoridad que el pueblo le otorga: debe respetar la Constitución. Este principio se denomina también **constitucionalismo.** Los funcionarios del gobierno están sujetos al **imperio de la ley,** es decir, siempre deben obedecer las leyes y en ningún caso se los considera por encima de ellas.

La **separación de poderes** establece tres ramas distintas, o poderes, que se reparten la autoridad del gobierno. Estas ramas son el poder ejecutivo, el poder legislativo y el poder judicial.

La Constitución utiliza un sistema de **pesos y contrapesos** para garantizar que ninguno de los tres poderes adquiera más autoridad que los demás. Cada uno de los poderes tiene ciertos métodos para limitar la autoridad de los otros dos. Un ejemplo de este principio es la capacidad que tiene el Presidente para **vetar,** o rechazar, cualquier acción del Congreso. A su vez, el Congreso puede invalidar un veto si dos tercios de los congresistas de cada una de las cámaras vota a favor de dicha acción.

La **revisión judicial** es la autoridad que tienen las cortes para decidir lo que determina la Constitución. Las cortes tienen también autoridad para determinar si una acción gubernamental va en contra de la Constitución, es decir, si es **inconstitucional.**

Por último, los artífices de la Constitución utilizaron el principio del **federalismo** para repartir el poder entre el gobierno central y los estados.

La idea PRINCIPAL

La Constitución está basada en seis principios generales: la soberanía popular, el gobierno limitado, la separación de poderes, los pesos y contrapesos, la revisión judicial y el federalismo.

PREGUNTA DE REPASO

Explica el principio del federalismo.

SECCIÓN 2 LA ENMIENDA FORMAL

RESUMEN DEL TEXTO

La Constitución ha perdurado por más de 200 años gracias a las modificaciones que ha experimentado con el paso del tiempo. Gran parte de sus enunciados y de su significado siguen siendo iguales, pero otros han sido cambiados, eliminados o añadidos, y también se ha alterado parte de su contenido. Las modificaciones a la Constitución se han llevado a cabo de dos maneras: mediante **enmiendas** (cambios) formales e informales.

La idea PRINCIPAL

Los artífices de la Constitución instauraron las enmiendas formales para que el documento pudiera adaptarse al paso del tiempo.

Una **enmienda formal** es un cambio al texto escrito de la Constitución. Los artífices de la Constitución crearon cuatro métodos para hacer este tipo de modificaciones. Al desarrollar estos métodos, los artífices de la Constitución siguieron el principio del federalismo. En primer lugar, el Congreso o una convención nacional propone o sugiere las enmiendas a nivel nacional. A continuación, las enmiendas se ratifican a nivel estatal en las asambleas legislativas o en convenciones estatales. Éste ha sido el método utilizado en todas menos una de las 27 enmiendas.

Las primeras diez enmiendas constituyen la **Declaración de Derechos.** Todas fueron propuestas por el Congreso en 1789, porque muchas personas se negaban a dar su apoyo a la Constitución a menos que el Gobierno Federal protegiese estos derechos fundamentales. Los estados aprobaron estas diez enmiendas en 1791. Las restantes 17 entraron a formar parte de la Constitución una por vez.

PREGUNTA DE REPASO

¿Qué es una enmienda formal a la Constitución?

SECCIÓN 3

LA ENMIENDA INFORMAL

RESUMEN DEL TEXTO

Desde 1787 se han llevado a cabo numerosas **enmiendas informales** a la Constitución. A diferencia de las enmiendas formales, éstas no han cambiado el texto en sí de la Constitución. Estas modificaciones han surgido de cinco fuentes.

1. El Congreso ha introducido cambios a la Constitución mediante dos tipos de legislación básica. En primer lugar, ha aprobado leyes que describen con mayor detalle el funcionamiento específico del gobierno. En segundo lugar, ha aprobado miles de leyes que explican partes concretas de la Constitución.

2. La manera como los presidentes han utilizado su autoridad ha dado lugar a algunas enmiendas informales. Por ejemplo, un presidente puede escoger llegar a un **acuerdo ejecutivo,** o pacto, con un jefe de gobierno de otra nación en lugar de firmar un **tratado,** o acuerdo formal, entre dos países soberanos, para el que sería necesaria la autorización del Congreso.

3. Las cortes, y en especial la Corte Suprema de los Estados Unidos, han alterado informalmente la Constitución explicando algunos de sus aspectos al decidir casos. También deciden si las acciones del gobierno son constitucionales o no.

4. De manera informal, los partidos políticos han ido moldeando lo que hace el gobierno. Por ejemplo, los partidos han disminuido la importancia del **colegio electoral,** es decir, el grupo que elige formalmente al Presidente de la nación.

5. Las costumbres son los hábitos que tiene la gente de hacer ciertas cosas. El gobierno estadounidense ha desarrollado muchas costumbres que no figuran en la Constitución. Por ejemplo, el **Gabinete** presidencial, u órgano asesor, suele estar compuesto por los jefes de los departamentos ejecutivos y otros funcionarios. La **cortesía senatorial** es una costumbre por la cual el Senado no aprueba un nombramiento por parte del Presidente en un estado si algún senador del partido del Presidente se opone al nombramiento.

La idea **PRINCIPAL**

La Constitución se ha visto alterada en numerosas ocasiones mediante enmiendas informales.

PREGUNTA DE REPASO

¿Qué es una enmienda informal a la Constitución?

Nombre ______________________________ Clase ____________________ Fecha ________

CAPÍTULO 3 Prueba

IDENTIFICAR LAS IDEAS PRINCIPALES

Escribe la letra de la respuesta correcta en el espacio en blanco. (10 puntos cada una)

____ **1.** La soberanía popular significa que

A. los estados tienen más poder que el Gobierno Federal.
B. las cortes pueden decidir lo que significa el texto de la Constitución.
C. la Constitución puede ser enmendada o alterada.
D. todo el poder del gobierno le pertenece al pueblo.

____ **2.** ¿Cuál de los siguientes casos es un ejemplo de pesos y contrapesos?

A. La Corte Suprema de los Estados Unidos declara que una ley es inconstitucional.
B. El poder está repartido entre el Gobierno Federal y los estados.
C. El Senado practica la cortesía senatorial.
D. El Congreso aprueba una ley.

____ **3.** El principio de gobierno que favorece un gobierno nacional que tenga tres ramas independientes se llama

A. separación de poderes.
B. federalismo.
C. enmienda informal.
D. acción ejecutiva.

____ **4.** Las diez primeras enmiendas a la Constitución se denominan

A. enmiendas informales.
B. vetos.
C. la Declaración de Derechos.
D. acciones ejecutivas.

____ **5.** En la actualidad, el número de enmiendas que se han hecho a la Constitución es

A. 10.
B. 15.
C. 27.
D. 100.

____ **6.** Los métodos para enmendar formalmente la Constitución siguen el principio de

A. un gobierno limitado.
B. el federalismo.
C. la separación de poderes.
D. la revisión judicial.

____ **7.** ¿Cuál ha sido el método utilizado para todas menos una de las enmiendas formales a la Constitución?

A. El Congreso propone/las convenciones estatales ratifican.
B. La convención nacional propone/las asambleas legislativas estatales la ratifican.
C. La convención nacional propone/las convenciones estatales ratifican.
D. El Congreso propone/las asambleas legislativas ratifican.

____ **8.** El Congreso puede enmendar informalmente la Constitución

A. aprobando leyes.
B. proponiendo enmiendas.
C. rechazando leyes inconstitucionales.
D. emprendiendo acciones ejecutivas.

____ **9.** ¿Cuál es un ejemplo de enmienda informal llevada a cabo por acción ejecutiva?

A. Un partido político elige su candidato a presidente.
B. El Congreso aprueba una ley sobre el funcionamiento del servicio postal.
C. El Presidente hace un acuerdo ejecutivo con otro país en lugar de un tratado formal.
D. El Presidente emite una orden ejecutiva.

____ **10.** El nombramiento presidencial de los miembros de la Corte Suprema es

A. un ejemplo de enmienda formal.
B. un ejemplo de pesos y contrapesos.
C. un ejemplo de enmienda informal.
D. un ejemplo de revisión judicial.

El federalismo

EL FEDERALISMO: LA DIVISIÓN DEL PODER

RESUMEN DEL TEXTO

El **federalismo** es un sistema de gobierno en que una constitución escrita divide los poderes gubernamentales. La Constitución de los Estados Unidos dictamina la **división de poderes** entre dos niveles: el Gobierno Nacional y los gobiernos estatales.

El Gobierno Nacional cuenta con **poderes delegados,** que son los poderes específicos que la Constitución le otorga. Gran parte de estos poderes son **poderes exclusivos,** es decir, que le corresponden únicamente al Gobierno Nacional.

Existen tres tipos de poderes delegados. Los **poderes explícitos** son los que figuran en la Constitución. Los **poderes implícitos** se sugieren en la Constitución, pero no están escritos en ésta. Los **poderes inherentes** son aquellos que históricamente les corresponden a los gobiernos nacionales, como la creación de normas de inmigración. A ciertos poderes que se delegan al Gobierno Nacional se les llama **poderes concurrentes.** El Gobierno Nacional comparte estos poderes con los gobiernos estatales.

Los poderes de los estados se llaman **poderes reservados.** Se trata de poderes que no le han sido otorgados al Gobierno Nacional aún y que no se excluyen por escrito de los poderes que los estados pueden tener. Por ejemplo, los estados pueden decidir la edad mínima para obtener la licencia de manejar.

Dado que algunos de los poderes del Gobierno Nacional y de los estados se comparten, la Corte Suprema desempeña un papel fundamental al resolver disputas. Parte de la misión de esta corte consiste en aplicar la Cláusula de Supremacía Constitucional, que establece que la Constitución es "la ley suprema del territorio".

> La idea **PRINCIPAL**
>
> **El federalismo divide los poderes del gobierno de los Estados Unidos entre el Gobierno Nacional y los estados.**

PREGUNTA DE REPASO

¿Cuál es la diferencia entre los poderes exclusivos y los poderes concurrentes?

SECCIÓN 2

EL GOBIERNO NACIONAL Y LOS 50 ESTADOS

RESUMEN DEL TEXTO

La idea **PRINCIPAL**

La Constitución permite y exige que el Gobierno Nacional ayude a los estados de varias maneras.

La Constitución indica que el Gobierno Nacional debe garantizar una "forma republicana de gobierno" y proteger a los estados "contra una invasión" y contra "la violencia doméstica". Mediante esta última disposición, los funcionarios federales tienen autoridad para entrar en un estado con la finalidad de restablecer el orden o de prestar ayuda ante una catástrofe.

El Gobierno Nacional puede crear nuevos estados, pero no dentro del territorio de un estado ya existente sin el permiso de la asamblea legislativa de ese estado. Para convertirse en un nuevo estado, los habitantes de una región deben primero solicitar su ingreso al Congreso. El Congreso promulga entonces una **ley de autorización,** mediante la cual se aprueba la redacción de una constitución estatal. Los habitantes de la región redactan su constitución y la presentan al Congreso. El Congreso convierte esa región en estado mediante una **ley de ingreso.** Cuando el Presidente firma la ley, el estado entra a formar parte de la Unión.

El Gobierno Nacional y los estados cooperan de diversas formas. Desde 1972 hasta 1987, el Congreso les otorgó a los estados y a sus gobiernos locales una porción de la recaudación de los impuestos federales mediante lo que se denomina **participación en los ingresos públicos.** Por medio de sus tres tipos de **programas de subsidios estatales,** el Go-bierno Nacional les provee recursos a los estados o a sus gobiernos locales. Los **subsidios categóricos** se conceden para fines específicos. Los **subsidios colectivos** se otorgan con fines más generales. Los **subsidios por proyecto** se adjudican a los estados, a las localidades e incluso a las entidades privadas que los solicitan.

A cambio, los estados ayudan al Gobierno Nacional de muchas maneras. Por ejemplo, los gobiernos estatales y locales organizan y pagan las elecciones nacionales.

PREGUNTA DE REPASO

¿Cómo pasa una región a convertirse en estado?

LAS RELACIONES ENTRE LOS ESTADOS

RESUMEN DEL TEXTO

La adopción de la Constitución fue en gran medida consecuencia de los conflictos que surgían entre los diferentes estados. Como resultado, varias partes del documento tratan sobre la interacción entre los estados. Por ejemplo, la Constitución prohibe que los estados firmen tratados entre sí. No obstante, los estados pueden pactar **convenios interestatales,** que son acuerdos a los que se llega para resolver problemas comunes.

La **Cláusula de Plena Fe y Confianza** de la Constitución indica que cada estado debe respetar las leyes, documentos y decisiones judiciales de los demás estados. Esta cláusula concierne solamente a los asuntos civiles, y no a los asuntos criminales.

La **Cláusula de Privilegios e Inmunidades** indica que ningún estado puede discriminar a nadie que viva en otro estado. Por tanto, cada estado debe reconocer el derecho que tiene cualquier estadounidense a viajar por dicho estado, comerciar o residir en él. No obstante, un estado puede establecer una serie de distinciones razonables entre sus propios residentes y los de otros estados. Por ejemplo, un estado puede exigir que alguien viva dentro de sus fronteras durante cierto plazo de tiempo antes de que pueda votar.

La Constitución establece también la **extradición,** que es el proceso legal mediante el cual la policía de un estado entrega a los acusados de delitos a otro estado para que sean juzgados en él.

Las disposiciones de la Constitución sobre las relaciones interestatales fortalecieron la autoridad del Gobierno Nacional. De este modo se suavizaron muchas de las fricciones entre los estados.

La idea PRINCIPAL

Varias disposiciones de la Constitución tratan sobre las relaciones entre los diferentes estados.

PREGUNTA DE REPASO

¿Cuál es el motivo de una extradición?

Nombre ____________________ Clase ____________ Fecha ______

CAPÍTULO 4 Prueba

IDENTIFICAR LAS IDEAS PRINCIPALES

Escribe la letra de la respuesta correcta en el espacio en blanco. (10 puntos cada una)

____ **1.** ¿En qué consiste la división de poderes que establece la Constitución?

A. en crear los poderes o tres ramas del gobierno
B. en delegar poderes específicos en el Gobierno Nacional
C. en otorgar los poderes al Gobierno Nacional sencillamente porque es el Gobierno Nacional
D. en asignar ciertos poderes al Gobierno Nacional y otros a los estados

____ **2.** Los poderes que comparten tanto el Gobierno Nacional como los estados se llaman

A. poderes concurrentes.
B. poderes inherentes.
C. poderes explícitos.
D. poderes reservados.

____ **3.** Los poderes reservados corresponden

A. al Gobierno Nacional.
B. a los estados.
C. al Congreso.
D. al Presidente.

____ **4.** El proceso de ingreso de un nuevo estado se inicia con

A. una invitación del Congreso.
B. una revisión por parte del Congreso de la constitución del futuro estado.
C. una solicitud de ingreso que presentan al Congreso los habitantes de la región.
D. una votación de los estados fronterizos.

____ **5.** No se puede formar un nuevo estado

A. sin el permiso de todas las asambleas legislativas estatales existentes.
B. sin una enmienda constitucional.
C. sin una decisión favorable de la Corte Suprema.
D. dentro del territorio de un estado ya existente sin su permiso.

____ **6.** En el siglo XIX, el Gobierno Nacional cedió territorios a muchos estados para que los vendieran y fundaran universidades estatales. Éste es un ejemplo de

A. una ley de autorización.
B. un programa de subsidio estatal.
C. una ley de ingreso.
D. participación en los ingresos públicos.

____ **7.** ¿Qué tipo de programa de subsidio estatal se tiene que solicitar?

A. el subsidio categórico
B. el subsidio por proyecto
C. la participación en los ingresos públicos
D. el subsidio colectivo

____ **8.** ¿Qué parte de la Constitución impide a un estado discriminar a quienes no residen en él?

A. la Cláusula de Privilegios e Inmunidades
B. la Cláusula de Plena Fe y Confianza
C. la Primera Enmienda
D. el preámbulo

____ **9.** Los estados deben respetar las leyes y las decisiones judiciales de los demás estados, según indica

A. la Quinta Enmienda.
B. la Cláusula de Plena Fe y Confianza.
C. la Cláusula de Privilegios e Inmunidades.
D. la ley de ingreso.

____ **10.** Una persona roba un banco en Misisipí y escapa a Tennessee. El proceso legal mediante el cual la policía de Tennessee entrega a esa persona a Misisipí para que sea juzgada allí se denomina

A. subsidio estatal.
B. pesos y contrapesos.
C. federalismo.
D. extradición.

Los partidos políticos

LOS PARTIDOS Y SUS FUNCIONES

RESUMEN DEL TEXTO

Un **partido político** es un grupo de personas que tratan de acceder al gobierno ganando elecciones y ocupando puestos públicos. Los dos **partidos mayoritarios** en los Estados Unidos son el Partido Republicano y el Partido Demócrata.

Los partidos políticos son esenciales para un gobierno democrático. Sirven para conservar el vínculo entre la voluntad del pueblo y las acciones del gobierno. Los partidos contribuyen también a la unificación del pueblo, puesto que establecen posturas de mutuo acuerdo entre personas con puntos de vista opuestos.

Los partidos políticos llevan a cabo cinco funciones fundamentales. En primer lugar, nombran (o nominan) a sus candidatos para los puestos públicos. Los partidos les presentan sus candidatos a los votantes y hacen campaña para apoyarlos.

En segundo lugar, los partidos informan al pueblo, instándole a que participe en los asuntos públicos. En tercer lugar, los partidos políticos sirven para garantizar que sus candidatos y los que ocupan cargos públicos sean personas bien preparadas y respetables.

En cuarto lugar, los partidos políticos tienen ciertas responsabilidades de gobierno. El Congreso y las asambleas legislativas están organizados por partidos políticos. Llevan a cabo gran parte de sus funciones sobre la base del **partidismo,** es decir, con una sólida lealtad a sus partidos. En quinto lugar, los partidos cumplen la función de vigilantes de la conducta del gobierno. El partido que no está gobernando supervisa muy de cerca las políticas y el comportamiento del **partido en el poder,** que es el partido que controla la rama ejecutiva del gobierno federal o de los diferentes gobiernos estatales.

La idea PRINCIPAL

Los partidos políticos, que son esenciales para un gobierno democrático, influyen en el funcionamiento del gobierno y llevan a cabo otras importantes tareas.

PREGUNTA DE REPASO

¿Qué es un partido político?

SECCIÓN 2 *EL SISTEMA BIPARTIDISTA*

RESUMEN DEL TEXTO

En los Estados Unidos existe un **sistema bipartidista,** lo cual quiere decir que dos partidos políticos importantes dominan el panorama político. Los **partidos minoritarios** son aquellos que no cuentan con tanto apoyo de los votantes.

Los dos primeros partidos políticos de los Estados Unidos surgieron durante la ratificación de la Constitución. La continuidad de este sistema bipartidista se debe a varios factores. Un factor importante es la tradición, es decir, que el sistema continúa siendo igual porque siempre ha sido así.

Además, el sistema electoral fomenta un sistema bipartidista. Prácticamente la totalidad de las elecciones estadounidenses son de **un miembro por distrito,** en las que los votantes sólo escogen un candidato por cada puesto público. El vencedor es el que obtiene la **mayoría relativa,** es decir, el mayor número de votos. La mayor parte de los votantes no tienden a votar por los candidatos de los partidos minoritarios, porque tienen pocas posibilidades de salir elegidos. Además, gran parte de las leyes electorales estadounidenses, redactadas por los republicanos y demócratas de manera **bipartidista,** desalienta la existencia de los partidos minoritarios.

La sociedad estadounidense es una **sociedad pluralista,** es decir, integrada por culturas y grupos distintos. Pese a ello, existe un amplio **consenso** (acuerdo general entre varios grupos) en los asuntos fundamentales. Este consenso suprime hasta cierto punto la necesidad de que haya muchos partidos.

No obstante, en otras partes del mundo existen alternativas políticas. En los sistemas **multipartidistas** compiten varios partidos mayoritarios y minoritarios. Para lograr un mayor poder, varios partidos forman una **coalición,** que es una unión de personas con intereses diversos que compartirán el poder. Casi todas las dictaduras de la actualidad son **sistemas unipartidistas** en los que sólo se permite la existencia de un solo partido.

La idea PRINCIPAL

El sistema bipartidista estadounidense es fruto de la historia; varios factores han contribuido a que continúe en vigor.

PREGUNTA DE REPASO

¿Por qué tienen pocas posibilidades de salir elegidos los candidatos de los partidos minoritarios en las elecciones estadounidenses?

EL SISTEMA BIPARTIDISTA EN LA HISTORIA ESTADOUNIDENSE

RESUMEN DEL TEXTO

A raíz del debate sobre la ratificación de la Constitución surgieron dos frentes: los federalistas y los antifederalistas. Ambos terminaron convirtiéndose en los dos primeros partidos políticos.

En las elecciones de 1800, el antifederalista Thomas Jefferson le ganó al **candidato en ejercicio** (el que ya ocupaba el puesto), que era el presidente federalista John Adams. Los antifederalistas pasaron entonces a dominar el ámbito político. Más adelante se convertirían en republicanos demócraticos y posteriormente en demócratas.

Ha habido cuatro etapas durante las cuales un partido ha dominado toda la política de la nación. Entre 1800 y 1860 ostentaron el poder los demócratas que formaban una coalición de agricultores poco adinerados, deudores, pioneros de la frontera y amos de esclavos. Para mediados de la década de 1820 se habían dividido en **facciones,** o grupos con ideologías discrepantes.

En 1854 se fundó el Partido Republicano que imperó en el panorama político entre 1860 y 1932. El partido contaba con el apoyo de diferentes intereses empresariales y financieros, así como el de agricultores, trabajadores y afroamericanos que habían obtenido la libertad recientemente. Para el año 1896, los republicanos contaban con el apoyo de un amplio sector del **electorado** (los individuos con derecho a voto). Fue entonces que los partidos políticos a nivel nacional comenzaron a penetrar el ámbito de la economía y a apartarse del **regionalismo,** o devoción por los intereses de una región en particular, que se había apoderado de la nación en los años anteriores.

La Gran Depresión causó un fuerte impacto en la sociedad estadounidense, y uno de los cambios que acarreó fue el regreso de los demócratas al poder. Desde 1932 hasta 1968, los demócratas gobernaron gracias a una sólida base de votantes sureños, agricultores poco adinerados, sindicalistas y habitantes de las ciudades.

En 1968 comenzó una nueva etapa a raíz de la elección del presidente republicano Richard Nixon. Desde entonces, ninguno de los dos partidos ha dominado el espectro político con contundencia. Durante gran parte de este periodo, cuando un partido ha ocupado la Casa Blanca, el otro ha mantenido el control del Congreso.

La idea PRINCIPAL

Tradicionalmente, los dos partidos políticos mayoritarios estadounidenses se han alternado en el control del gobierno.

PREGUNTA DE REPASO

¿Cómo se llamaban los dos primeros partidos políticos estadounidenses?

SECCIÓN 4 *LOS PARTIDOS MINORITARIOS*

La idea PRINCIPAL

Los partidos políticos minoritarios han actuado en forma activa en el ámbito de la política estadounidense y, en ocasiones, han causado repercusiones en las elecciones y en otros asuntos.

RESUMEN DEL TEXTO

En la política estadounidense, cuatro tipos de partidos minoritarios han desempeñado una función importante. Los **partidos ideológicos** están basados en ideas de índole social, económico o político. No suelen ganar las elecciones, pero permanecen activos por mucho tiempo.

Los **partidos de asunto único** se concentran en un asunto de política pública. Una vez el asunto ha sido resuelto, o cuando la gente pierde interés en el asunto, estos partidos desaparecen. En ocasiones logran que alguno de los partidos mayoritarios defienda el asunto por el que luchan.

Durante las épocas de dificultades financieras aparecen **partidos de protesta económica,** que critican las acciones y planes de los partidos mayoritarios en materia económica.

La mayor parte de los partidos políticos minoritarios en la política estadounidense han sido **partidos escindidos,** es decir, que se han separado de uno de los partidos mayoritarios. Suelen estar encabezados por un líder sólido que no ganó la nominación del partido mayoritario al que pertenecía.

Aunque no cuentan con el apoyo de la mayoría de los estadounidenses, los partidos minoritarios siguen teniendo su impacto en la política y en los partidos mayoritarios. Los afiliados a los partidos políticos minoritarios cumplen el papel de críticos e innovadores, dirigiendo la atención del público hacia asuntos polémicos o que de otro modo pasarían desapercibidos.

El candidato de un tercer partido importante puede impedir el acceso al poder de un partido mayoritario. Esto quiere decir que puede quitarle los votos a un partido mayoritario, debilitando así sus posibilidades ante las urnas.

PREGUNTA DE REPASO

¿Cómo pueden afectar a la política los partidos minoritarios?

SECCIÓN 5

LA ORGANIZACIÓN DE LA POLÍTICA

RESUMEN DEL TEXTO

Los partidos mayoritarios están descentralizados, o fragmentados. A nivel nacional, el aparato del partido consta de cuatro elementos básicos: la convención nacional en que se nomina a los candidatos de los distintos partidos; el comité nacional, que gestiona los asuntos del partido entre convenciones; el dirigente nacional, que preside el comité nacional; los comités de campaña del Congreso, cuyo objetivo es elegir a los miembros del partido que formarán parte del Congreso.

Desde el punto de vista de sus afiliados, un partido consta de tres partes básicas, no muy cohesionadas entre sí. El partido como organización está formado por los dirigentes del aparato del partido. A nivel del electorado, el partido consta de aquellos seguidores que generalmente apoyan con su voto a los candidatos de ese partido. En el contexto del gobierno, el partido está formado por aquellas personas afiliadas al partido que ocupan cargos públicos.

A nivel estatal y local, la estructura de los partidos suele fijarse según la legislación del estado. A nivel estatal, el comité central es dirigido por un presidente. La estructura de los partidos a nivel local varía ampliamente, con una sede del partido por cada distrito en que se celebran elecciones cuenta. Estos distritos incluyen distritos, condados, ciudades y pueblos, barrios y circunscripciones congresionales y legislativos. Un **barrio** es una zona reducida de una ciudad, y una **circunscripción** es una subdivisión de un barrio.

Los partidos políticos han experimentado un declive a partir de la década de 1960. Cada vez hay más votantes que dicen ser independientes. También se ha visto incrementada la práctica electoral conocida como **corte de boletas,** que permite votar por candidatos de partidos diferentes en las mismas elecciones.

La idea PRINCIPAL

La estructura de los partidos políticos mayoritarios está descentralizada; sus diferentes componentes trabajan en colaboración principalmente durante las elecciones nacionales.

PREGUNTA DE REPASO

¿Qué define la estructura de los partidos a nivel estatal y local?

Nombre ______________________ Clase ______________ Fecha ________

CAPÍTULO 5 Prueba

IDENTIFICAR LAS IDEAS PRINCIPALES

Escribe la letra de la respuesta correcta en el espacio en blanco. (10 puntos cada una)

____ **1.** ¿Qué es un partido político?

A. una coalición de dirigentes políticos de cada estado
B. una votación en la que se elige a un solo vencedor
C. un grupo que trata de controlar el gobierno ganando las elecciones y asumiendo cargos públicos
D. los votantes

____ **2.** ¿Cuál de las siguientes es una función de los partidos políticos?

A. buscar candidatos y lograr que el público los apoye
B. nominar a sus candidatos para los cargos públicos
C. garantizar que los candidatos sean personas preparadas
D. Todas las respuestas anteriores son correctas.

____ **3.** Los Estados Unidos tienen un sistema

A. bipartidista.
B. multipartidista.
C. unipartidista.
D. Todas las respuestas anteriores son correctas.

____ **4.** Uno de los factores que ha contribuido a que los partidos minoritarios no logren un mayor respaldo del electorado es:

A. el sistema electoral.
B. el número de votantes independientes.
C. la estructura poco cohesionada de los partidos políticos.
D. la sociedad pluralista de la nación.

____ **5.** ¿Cuál fue el partido predominante entre 1932 y 1968 a nivel nacional?

A. el Partido Republicano
B. una coalición de partidos minoritarios
C. el Partido Federalista
D. el Partido Demócrata

____ **6.** A partir de 1968, el gobierno (no) ha estado dominado por

A. demócratas
B. ninguno de los dos partidos mayoritarios
C. los republicanos
D partidos minoritarios

____ **7.** Los partidos minoritarios centrados en resolver un problema de la vida pública se llaman

A. partidos ideológicos.
B. partidos escindidos.
C. partidos de asunto único.
D. partidos de protesta económica.

____ **8.** Los partidos minoritarios impiden el acceso al poder de un partido mayoritario cuando

A. se dedican a tratar asuntos polémicos.
B. le quitan votos durante las elecciones.
C. utilizan publicidad negativa.
D. quitan la atención de los medios a los partidos mayoritarios.

____ **9.** ¿Qué factor demuestra que los partidos políticos ya no son tan fuertes como antes?

A. el aumento de votantes independientes
B. la ausencia de votos partidistas
C. el aumento del gasto en las campañas
D. el aumento de demócratas afiliados al partido

____ **10.** Según los afiliados, la estructura de un partido consta de sus dirigentes, sus votantes habituales y

A. los votantes independientes.
B. las personas de ese partido que ocupan cargos públicos.
C. la convención nacional de ese partido.
D. el presidente nacional de ese partido.

Los votantes y el comportamiento de los votantes

EL DERECHO AL VOTO

RESUMEN DEL TEXTO

El **derecho de sufragio** es el **derecho al voto.** En 1789 solamente los hombres blancos que fueran propietarios tenían este derecho. Hoy en día, el **electorado** estadounidense, es decir, la gente que puede votar, está compuesto por prácticamente todos los ciudadanos que tengan al menos 18 años. Este cambio fue fruto de dos corrientes: la eliminación de gran parte de las restricciones en el derecho de sufragio, y el paso de poder de manos de los estados al Gobierno Federal para decidir sobre el sufragio.

Los artífices de la Constitución encomendaron a los estados el poder a fin de determinar los requisitos para poder votar. No obstante, prohibieron que los estados establecieran diferencias en los requisitos para votar entre las elecciones estatales y las federales. Además estipularon que estos requisitos no podían violar ninguna parte de la Constitución.

La lucha por lograr que los derechos de sufragio englobaran a un sector más amplio de la población comenzó a principios del siglo XIX. Se aprobaron ciertas leyes para evitar que los estados siguieran restringiendo el derecho al voto. Hacia mediados del siglo XIX se eliminaron las restricciones basadas en la religión y la propiedad, y prácticamente todos los hombres blancos adultos pudieron votar. La 15ª enmienda de 1870 eliminó las restricciones basadas en la raza; sin embargo, en la práctica los afroamericanos no pudieron votar libremente hasta que entraron en vigor una serie de leyes sobre los derechos civiles en la década de 1960. La 19ª enmienda de 1920 incorporó a las mujeres al electorado. En 1964, la 24ª enmienda dictaminó que los estados no podían exigir el pago de los impuestos como condición para votar. Más recientemente, en 1971, se introdujo la 26ª enmienda, por la cual los estados no pueden negarle a ningún ciudadano a partir de los 18 años de edad su derecho al voto.

La idea PRINCIPAL

El electorado de los Estados Unidos ha crecido gracias a la eliminación de requisitos para votar.

PREGUNTA DE REPASO

Actualmente, ¿quién cumple los requisitos para votar en los Estados Unidos?

SECCIÓN 2 LOS REQUISITOS PARA VOTAR

RESUMEN DEL TEXTO

Los estados son los que deciden los requisitos para votar. Con el paso del tiempo, estos requisitos han ido modificándose para acoger a un sector mucho mayor de la ciudadanía.

La idea PRINCIPAL

Si bien todos los estados tienen requisitos para poder votar, la mayoría de los que se aplicaban para impedir que ciertos sectores de la población votara han sido eliminados con el paso de los años.

En la actualidad, todos los estados exigen que los votantes sean ciudadanos estadounidenses y que residan legalmente en el estado en que desean votar. En la mayor parte de los casos, se exige también que los votantes hayan residido en el estado por un determinado periodo de tiempo. Esta norma tiene como finalidad darles tiempo a los ciudadanos para que conozcan mejor los problemas de cada estado, así como impedir que individuos ajenos puedan afectar las elecciones locales. La mayoría de los estados prohibe que voten los **residentes temporarios,** es decir, los ciudadanos que viven en un estado sólo por un corto plazo.

También hay una restricción de edad para votar. La 26ª enmienda de 1971 fijó que a partir de los 18 años de edad, los estados no pueden negarle a un ciudadano el derecho a votar.

Cuarenta y nueve estados (todos menos Dakota del Norte) exigen que los votantes estén **inscritos,** es decir, apuntados en los archivos de los funcionarios electorales locales. Este requisito pone en manos de los funcionarios una serie de listas de votantes inscritos que se llaman **padrones electorales.** La ley estatal obliga a los funcionarios a revisar periódicamente estas listas para actualizarlas. **Actualizar** quiere decir poner al día, eliminando los nombres de aquelos ciudadanos que ya no tengan derecho a votar.

Hoy en día, ningún estado exige el requisito de **alfabetismo,** es decir, la capacidad de leer y escribir. Tampoco se exige ya ningún **impuesto electoral,** que solía imponerse a los votantes.

Todos los estados niegan el derecho de voto a los ciudadanos que se encuentran en centros psiquiátricos y a los que son incapacitados mentales a efectos legales. La mayor parte de los estados también prohibe el voto a quienes han sido condenados por delitos graves.

PREGUNTA DE REPASO

¿Qué hace un votante cuando se inscribe?

EL SUFRAGIO Y LOS DERECHOS CIVILES

RESUMEN DEL TEXTO

La 15ª enmienda de 1870 estipuló que el derecho al voto no podía denegarse en función de la raza. Esta enmienda fue ignorada en ciertos estados sureños, en donde se trató de evitar el voto de los afroamericanos mediante tácticas como la violencia, las amenazas, las pruebas de alfabetismo y las manipulaciones de distritos. Las **manipulaciones de distritos** consisten en trazar los límites de los distritos electorales de forma que ciertos sectores de la población pierdan el poder de afectar las votaciones.

El movimiento de los derechos civiles presionó al Congreso para que garantizara el derecho al voto de los afroamericanos. La Ley de Derechos Civiles de 1957 instauró la Comisión de Derechos Civiles, cuya finalidad era investigar las denuncias de discriminación en el derecho al voto. La Ley de Derechos Civiles de 1960 solicitó que una serie de supervisores federales ayudaran a las personas que tuvieran derecho al voto a inscribirse y votar en las elecciones federales. En la Ley de Derechos Civiles de 1964 se destacó el uso de los **mandatos judiciales,** es decir, órdenes de un juez para hacer o detener algo, a fin de garantizar que los ciudadanos que cumplieran con los requisitos tuvieran acceso al voto.

La Ley de Derecho al Voto de 1965 hizo que se cumpliera a efectos reales lo que estipulaba la 15ª enmienda, al aplicarla en todas las elecciones: locales, estatales y federales. Prohibió las prácticas que impedían que votaran ciertos ciudadanos con derecho al voto. Además, en los estados en que la mayoría del electorado no había votado en 1964, esta ley le concedió al Departamento de Justicia el poder de **preautorización,** es decir, el derecho a aprobar preliminarmente toda nueva ley electoral para impedir que las leyes debilitaran los derechos al voto de las minorías. Esa ley debía permanecer en vigor durante cinco años, pero su vigencia ha sido renovada en tres ocasiones, y está previsto que continúe hasta el año 2007.

La idea PRINCIPAL

Las leyes sobre derechos civiles surgieron para evitar que se privara a ciertos estadounidenses de su derecho al voto.

PREGUNTA DE REPASO

¿Cómo se usaron los mandatos judiciales en el movimiento a favor de los derechos civiles?

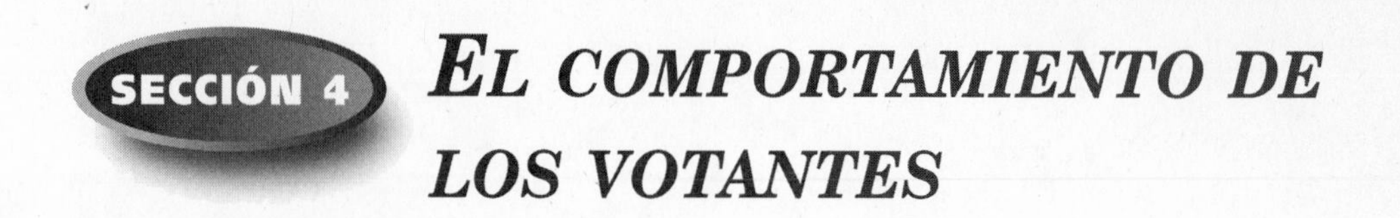

EL COMPORTAMIENTO DE LOS VOTANTES

RESUMEN DEL TEXTO

La idea PRINCIPAL

Aunque el bajo índice de participación en las elecciones es un grave problema, los estadounidenses que sí votan se ven afectados por muchos factores distintos.

Millones de estadounidenses con derecho al voto no acuden a las urnas. El índice de participación en las elecciones presidenciales es bajo, y más todavía cuando se trata de una **elección intermedia,** que son las que se celebran entre dos elecciones presidenciales.

Los que optan por no votar suelen pensar que carecen de **poder político.** No creen que sus votos puedan afectar el resultado de las elecciones. Están convencidos de que los políticos, los grupos de intereses especiales y los medios de comunicación se han apoderado del "gobierno del pueblo".

Los estudios sobre el comportamiento de los votantes se basan en los resultados de elecciones o encuestas concretas, así como en la **socialización política,** es decir, el proceso mediante el cual la gente desarrolla sus tendencias y opiniones sobre la política. Estas fuentes demuestran que ciertos factores sociológicos (como los ingresos, la profesión, el nivel de estudios, el sexo, la edad, la religión, la etnia, la región donde se reside y la familia) influyen en los votantes a la hora de decidirse por una u otra opción. Por ejemplo, existen diferencias que se pueden contabilizar entre las tendencias electorales de los hombres y de las mujeres; a este fenómeno se lo llama **brecha entre los sexos.**

Los factores psicológicos, como el identificarse con un partido y la percepción de los candidatos y los distintos temas políticos, también influyen en el comportamiento de los votantes.

La **identificación con un partido** es la lealtad que se tiene a un determinado partido político. Hay ciudadanos que votan únicamente por los candidatos de un cierto partido político; a esta práctica se la denomina **voto partidista.** Últimamente, un gran número de votantes se define a sí mismo como **independiente,** es decir, que no se identifica con ningún partido. A veces estos ciudadanos votan en las mismas elecciones por candidatos de ambos partidos importantes mediante una práctica electoral denominada **corte de boletas.**

PREGUNTA DE REPASO

¿Cómo afecta el poder político a la gente a la hora de decidir si van a votar o no?

Nombre ______________________ Clase ______________ Fecha ________

CAPÍTULO 6

Prueba

IDENTIFICAR LAS IDEAS PRINCIPALES

Escribe la letra de la respuesta correcta en el espacio en blanco. (10 puntos cada una)

____ **1.** La Constitución prohibe que los estados
- **A.** establezcan los mismos requisitos para votar en las elecciones estatales y federales.
- **B.** fijen requisitos sobre la residencia de los votantes.
- **C.** fijen una edad superior a los 18 años como edad mínima para votar.
- **D.** exijan a los votantes que se inscriban.

____ **2.** Los estados pueden restringir el derecho de una persona a votar según su
- **A.** religión.
- **B.** competencia a nivel mental.
- **C.** sexo.
- **D.** pago de un impuesto.

____ **3.** ¿Qué enmienda a la Constitución prohibe que sólo puedan votar los hombres?
- **A.** la 3ª
- **B.** la 15ª
- **C.** la 19ª
- **D.** la 26ª

____ **4.** La mayoría de los estados no permiten que los residentes temporarios voten porque
- **A.** no pagan impuestos.
- **B.** no son votantes inscritos.
- **C.** no están en plenas facultades mentales.
- **D.** sólo estarán en el estado por poco tiempo.

____ **5.** Cuando una persona se inscribe para votar,
- **A.** escoge un partido político al que apoyar.
- **B.** se apunta ante los funcionarios electorales locales.
- **C.** actualiza las listas de votantes inscritos.
- **D.** elige a un candidato para las elecciones.

____ **6.** Algunos estados trataron de evitar que los afroamericanos votaran mediante
- **A.** mandatos judiciales.
- **B.** la socialización política.
- **C.** pruebas de alfabetismo.
- **D.** el poder político.

____ **7.** ¿Qué ley hizo que la 15ª enmienda fuera efectiva en la práctica?
- **A.** la Ley de Derecho al Voto de 1965
- **B.** la Ley de Derechos Civiles de 1960
- **C.** la Ley de Derechos Civiles de 1957
- **D.** la 19ª enmienda

____ **8.** ¿Cuál de las siguientes es una fuente fundamental de información sobre el comportamiento de los votantes?
- **A.** estudios sobre la politización social
- **B.** encuestas
- **C.** resultados de elecciones concretas
- **D.** todas las respuestas anteriores

____ **9.** El término "brecha entre los sexos" se refiere a
- **A.** la comparación entre el número de hombres votantes con el número de mujeres que votan.
- **B.** el voto dividido.
- **C.** las diferencias en las tendencias de voto entre hombres y mujeres.
- **D.** la lealtad a un partido político.

____ **10.** ¿Cuál de los siguientes es un factor psicológico que influye en el comportamiento de los votantes?
- **A.** ingresos
- **B.** nivel de estudios
- **C.** identificación con un partido
- **D.** familia

El proceso electoral

LA NOMINACIÓN

RESUMEN DEL TEXTO

La **nominación,** es decir, la elección de candidatos a cargos públicos, es un paso crítico en el sistema democrático estadounidense. Precede a las **elecciones generales,** en las que los votantes eligen a los que ocuparán los cargos públicos.

> **La idea PRINCIPAL**
>
> **El proceso de nominación es un elemento clave durante las elecciones porque reduce la cantidad de posibles candidatos.**

En los Estados Unidos, las nominaciones se llevan a cabo de cinco maneras diferentes. Por autoproclamación, una persona que quiere presentarse a un cargo público simplemente lo anuncia. Las nominaciones pueden hacerse también mediante una **asamblea electoral,** que es un grupo de personas que comparten una serie de opiniones. Otra opción es la nominación que surge de las convenciones, que son reuniones de los afiliados a un partido.

La mayoría de los estados suelen nominar a sus candidatos mediante **primarias directas,** que son elecciones que se llevan a cabo dentro de un partido para escoger a sus candidatos; existen diversos tipos de primarias. En las **primarias cerradas,** por lo general sólo pueden votar las personas que se han inscrito en el partido. En las **primarias abiertas,** cualquier votante puede votar en las primarias de un partido. Hasta el 2000, año en que fueron declaradas inconstitucionales, tres estados realizaban **primarias generales,** en las que los votantes podían escoger de entre todos los aspirantes, fueran del partido que fueran. En algunos estados, un candidato debe obtener más de la mitad de los votos para vencer en una primaria. Si ninguno de los candidatos logra esta cantidad, los dos aspirantes que hayan obtenido el mayor número de votos celebran una **primaria eliminatoria** para decidir quién es el vencedor. En la mayor parte de los estados, casi todos los puestos públicos del sector escolar y municipal se cubren mediante **elecciones no partidistas,** en las que los candidatos no se identifican con ningún partido. También es común la nominación por petición, mediante la cual un candidato logra que un determinado número de votantes respalde con su firma dicha petición.

PREGUNTA DE REPASO

¿En qué momento escogen los votantes a los que ocuparán los cargos públicos?

SECCIÓN 2 *LAS ELECCIONES*

RESUMEN DEL TEXTO

El proceso de las elecciones está regulado en gran medida por la legislación estatal, mientras que la ley federal es la que fija las fechas y algunos otros aspectos tanto de las elecciones presidenciales como de las elecciones legislativas.

La mayoría de los estados celebra las elecciones para los cargos estatales el mismo día que el Congreso fija para las elecciones nacionales: el martes que sigue al primer lunes de noviembre, en los años pares. Suele permitirse el **voto en ausencia,** que es el que envían aquellos individuos a los que no les es posible acudir a las urnas. Algunos estados permiten también el voto por adelantado, que consiste en emitir el voto varios días antes de que se celebren las elecciones.

Una **circunscripción** es un distrito electoral. Una **mesa electoral** es el lugar al que acuden los votantes para votar, que se encuentra dentro o cerca de una circunscripción. Una **boleta electoral** es donde los votantes registran la opción por la que quieren votar en una elección. Los estados exigen que el voto sea secreto, es decir, nadie más que el propio votante puede verlo.

La mayoría de los estados utilizan un formulario denominado "boleta australiana", que se imprime con fondos públicos y contiene una lista de todos los candidatos de las elecciones; solamente se entrega en las mesas electorales y se reparte sólo una a cada votante. Además se llena en secreto. Las boletas por cargo contienen listas de los candidatos enumerados por cargo, mientras que en las boletas de partido se enumeran todos los candidatos pertenecientes a un partido en columnas separadas. El **efecto de arrastre** se produce cuando un candidato sólido que se presenta para el cargo más alto de la lista atrae votos para los otros candidatos que se presentan en la boleta de partido.

La idea PRINCIPAL

El detallado proceso que rige la votación para los cargos públicos ayuda a garantizar una forma de vida democrática.

PREGUNTA DE REPASO

¿Qué es una boleta electoral?

SECCIÓN 3 *EL DINERO Y LAS ELECCIONE*

RESUMEN DEL TEXTO

La idea PRINCIPAL

En las elecciones de hoy en día está regulado el uso del dinero, que es un recurso imprescindible y causa de diversos problemas.

El dinero juega un papel crucial en la política, pero plantea serios problemas a los gobiernos democráticos. La cantidad de dinero que se gasta en las campañas electorales varía, pero las campañas presidenciales son las que más recaudan y gastan.

Los partidos y sus candidatos obtienen su dinero de dos fuentes principalmente. La mayor parte del dinero para las campañas procede de fondos privados, como ciudadanos, familias, los propios candidatos y los **comités de acción política.** Estos comités son el brazo político de los grupos de interés especial. Los candidatos a la presidencia reciben **subsidios** públicos, es decir, subvenciones monetarias procedentes del tesoro federal y/o del estatal.

La legislación que regula las campañas federales es administrada por la Comisión Federal de Elecciones. Estas leyes afectan sólo las elecciones presidenciales y legislativas. Exigen que se revelen sin demora los datos sobre la financiación de las campañas e imponen una serie de restricciones sobre las contribuciones. Cierta falta de reglamentación de estas leyes permite que los candidatos puedan eludir algunas de estas leyes. Por ejemplo, la ley federal no fija ningún límite, ni exige que se rindan cuentas por las denominadas **contribuciones indirectas,** que es dinero que se da a distintas organizaciones locales de los partidos para "actividades de fomento" del partido, como campañas de inscripción electoral o envíos de propaganda por correo o publicidad sobre el partido. Al dinero que sí debe ser declarado y cuya cantidad está sujeta a ciertas limitaciones, se lo llama **contribuciones directas.**

PREGUNTA DE REPASO

¿Es obligatorio declarar las contribuciones directas o las contribuciones indirectas?

Nombre ______________________ Clase ______________ Fecha ________

CAPÍTULO 7 Prueba

IDENTIFICAR LAS IDEAS PRINCIPALES

Escribe la letra de la respuesta correcta en el espacio en blanco. (10 puntos cada una)

___ **1.** Mediante el proceso de nominación

A. se elige a los que ocupan nuevos cargos públicos del gobierno.
B. se escoge a los líderes de los partidos políticos.
C. se reduce la cantidad de candidatos posibles para las elecciones.
D. Todas las respuestas anteriores son correctas.

___ **2.** Los votantes escogen a los que ocupan cargos públicos del gobierno mediante

A. una convención.
B. elecciones generales.
C. elecciones primarias.
D. un comité de acción política.

___ **3.** La mayor parte de las nominaciones se lleva a cabo mediante

A. autoproclamación.
B. una asamblea electoral.
C. una convención.
D. primarias directas.

___ **4.** En las primarias cerradas

A. todos pueden votar en las primarias de cualquier partido.
B. los votantes pueden escoger a cualquier candidato, sea cual sea su partido.
C. los candidatos no se identifican con ningún partido político.
D. por lo general sólo pueden ir a las urnas los votantes afiliados a un partido.

___ **5.** El proceso de las elecciones está en gran medida regulado por

A. la legislación estatal.
B. la legislación federal.
C. la legislación local.
D. los comités de acción política.

___ **6.** El Congreso ha fijado como fecha para las elecciones nacionales

A. el lunes que sigue al tercer martes de noviembre de los años pares.
B. el martes que sigue al primer lunes de noviembre de los años pares.
C. el lunes que sigue al primer martes de mayo de los años pares.
D. el martes que sigue al primer lunes de noviembre de los años impares.

___ **7.** El lugar al que acuden los votantes para depositar su voto se llama

A. asamblea electoral.
B. convención.
C. circunscripción.
D. mesa electoral.

___ **8.** Una boleta australiana

A. se imprime con fondos públicos.
B. contiene una lista de todos los candidatos.
C. se entrega sólo en las mesas electorales.
D. Todas las respuestas anteriores son correctas.

___ **9.** ¿Cuál de los siguientes es un ejemplo de contribución indirecta?

A. dinero entregado al candidato presidencial de un partido mayoritario
B. dinero entregado a un candidato al Senado de un partido minoritario
C. una pequeña contribución de un estudiante universitario para una campaña
D. dinero entregado a uno de los partidos mayoritarios para un anuncio de televisión que describe los objetivos del partido

___ **10.** Las leyes federales electorales afectan

A. las elecciones presidenciales y legislativas únicamente.
B. todas las elecciones.
C. las elecciones con gastos de campaña superiores a una cierta cantidad.
D. las contribuciones de los comités de acción política.

Los medios de comunicación y la opinión pública

LA CREACIÓN DE LA OPINIÓN PÚBLICA

RESUMEN DEL TEXTO

La **opinión pública** es el conjunto de actitudes de un sector importante de personas en cuanto a los **asuntos de interés público,** es decir, aquellos temas sobre el gobierno y la política que afectan al público en general. Se llama socialización política al proceso mediante el cual la gente absorbe ideas y desarrolla opiniones sobre ciertos asuntos. En este proceso influyen muy diversos factores.

La idea PRINCIPAL

Diversos factores, como la familia y el nivel educativo, contribuyen a formar la opinión de la gente sobre los asuntos públicos.

La familia y el nivel educativo son dos de los factores más relevantes en la socialización política. Los niños asimilan las actitudes fundamentales de su familia. Las escuelas les enseñan el valor del sistema político estadounidense y les muestran cómo convertirse en buenos ciudadanos.

La profesión y la raza son otros dos factores importantes en el desarrollo de la opinión política. Además, los **medios de comunicación** —los métodos que se usan para difundir información a mucha gente de forma simultánea, como los periódicos, la televisión e Internet— tienen un impacto enorme en la creación de la opinión pública.

Los **grupos paritarios** son los grupos de gente que se reúnen regularmente como los amigos, vecinos, compañeros de clase y colegas de trabajo. Los miembros de estos grupos suelen compartir ideas políticas similares.

La opinión pública se ve influenciada también por los puntos de vista que expresan las **personalidades,** es decir, aquellos individuos que tienen influencia sobre el punto de vista de los demás. Los acontecimientos históricos, como las guerras, afectan la vida de las personas y, por consiguiente, suelen también influenciar la opinión pública.

PREGUNTA DE REPASO

¿Qué es la opinión pública?

SONDEAR LA OPINIÓN PÚBLICA

RESUMEN DEL TEXTO

Los dirigentes del gobierno establecen las políticas públicas en función de la opinión pública. Existen muchos métodos para sondear la opinión pública, pero unos son más exactos que otros.

Los partidos ganadores y sus candidatos suelen afirmar que han recibido un **mandato,** o instrucciones de su electorado. Basándose en esto, dicen que los resultados de las elecciones son reflejo de la opinión pública, pero en realidad, pocos candidatos cuentan con mandatos verdaderos. Los **grupos de interés,** es decir, las organizaciones privadas que trabajan para influenciar las políticas públicas, suelen presentar sus propias opiniones como públicas, aunque se desconozca a cuánta gente representan en realidad. Los funcionarios públicos pueden utilizar los medios de comunicación y el contacto con el público para formarse una idea de la opinión pública.

El mejor método para sondear la opinión pública son las **encuestas de opinión pública,** que recopilan información mediante una serie de preguntas. Los **votos de prueba,** en los que se formula la misma pregunta a mucha gente, no son fiables, puesto que es posible que los encuestados no representen de manera fidedigna a la totalidad de la población.

Las encuestas científicas, que pueden ser muy exactas, dividen el proceso de la encuesta en varios pasos. En primer lugar, escogen lo que es el "universo", es decir, el sector de población que se desea encuestar. A continuación obtienen una **muestra,** que es una porción representativa de ese universo. La mayor parte de los encuestadores extraen una **muestra aleatoria,** que es una muestra en la que todos los miembros del universo descrito tienen las mismas posibilidades de ser elegidos. Algunas encuestas utilizan un método menos fiable llamado **muestra por cuotas,** que deliberadamente refleja varias de las características principales de un universo determinado. Finalmente, los encuestadores preparan preguntas válidas, escogen y controlan el proceso de la encuesta, y luego difunden los resultados.

La idea PRINCIPAL

Las encuestas son el método más eficaz para sondear la opinión pública.

PREGUNTA DE REPASO

Enumera los pasos de una encuesta científica.

SECCIÓN 3 *LOS MEDIOS DE COMUNICACI*

RESUMEN DEL TEXTO

Un **medio** es un método o vía de comunicación. El público estadounidense obtiene información sobre los asuntos públicos a través de varios medios de comunicación.

En la política estadounidense hay cuatro medios de comunicación especialmente importantes. La televisión es la que ejerce la mayor influencia, seguida de los periódicos, la radio y las revistas. También Internet y los libros ejercen un impacto considerable.

La idea PRINCIPAL

Los medios de comunicación son nuestra principal fuente de información sobre temas políticos.

Los medios de comunicación desempeñan un papel importante a la hora de establecer la **agenda pública,** o los asuntos públicos sobre los que se suele hablar y pensar. Los medios de comunicación juegan también un papel fundamental en las elecciones. Por ejemplo, la televisión ha reducido la importancia de los partidos políticos. Antes, los candidatos tenían que depender de los miembros de su partido para acceder a lo votantes. Actualmente, como la televisió les permite llegar al público directamente muchos candidatos mantienen vínculo menos estrechos con su partido. S esfuerzan más por obtener una buen cobertura en los medios y por hace **declaraciones efectistas,** es deci comentarios memorables que puede emitirse en unos 35 ó 45 segundos.

La influencia de los medios de comuni cación tiene sus limitaciones. Poca gent sigue realmente los asuntos políticos fondo a través de los medios de comuni cación. Además, el público que tiende prestar atención y que sigue estos asuntos través de los medios, elige sus propios pro gramas, y no los que discrepan con su opiniones personales. Por ejemplo, mucho demócratas no ven las presentaciones e televisión de los candidatos republican durante la campaña, y viceversa.

PREGUNTA DE REPASO

¿Cómo afectan los medios de comunicación a la agenda pública?

Nombre ______________________ Clase ______________ Fecha ________

CAPÍTULO 8 *Prueba*

IDENTIFICAR LAS IDEAS PRINCIPALES

Escribe la letra de la respuesta correcta en el espacio en blanco. (10 puntos cada una)

____ **1.** La opinión pública es

A. el proceso mediante el cual la gente se forma una opinión.
B. las actitudes que tiene un amplio sector de la sociedad estadounidense.
C. una serie de organizaciones privadas que trabajan para cambiar la política pública.
D. una persona que influye en la manera de pensar de los demás.

____ **2.** ¿Cuáles son los factores más importantes de la socialización política?

A. la familia y el nivel educativo
B. la raza y la profesión
C. los grupos paritarios
D. los medios de comunicación y los acontecimientos históricos

____ **3.** Una estrella del cine que habla públicamente sobre un asunto político puede convertirse en

A. una personalidad política.
B. un encuestador.
C. una muestra aleatoria.
D. un mandato.

____ **4.** La victoria de un candidato en unas elecciones suele ser interpretada por éste como

A. una muestra representativa.
B. un medio de comunicación.
C. una declaración efectista.
D. un mandato.

____ **5.** Si hicieras la misma pregunta sobre las próximas elecciones a mucha gente, estarías haciendo

A. una encuesta científica.
B. un voto de prueba.
C. una agenda pública.
D. una muestra representativa.

____ **6.** La manera más precisa de sondear la opinión pública es

A. los resultados de las elecciones.
B. un voto de prueba.
C. un estudio de los medios de comunicación.
D. una encuesta científica.

____ **7.** ¿Cuál de los siguientes no es un medio de comunicación?

A. un periódico
B. un libro
C. Internet
D. un disco compacto de música

____ **8.** ¿Qué medio de comunicación tiene mayor impacto en la política estadounidense?

A. la radio
B. la televisión
C. el cine
D. Internet

____ **9.** ¿Qué efecto ha tenido la televisión en las campañas políticas?

A. Los asuntos tienen menos cobertura.
B. Los candidatos usan más las encuestas.
C. Los candidatos dependen menos de sus partidos políticos.
D. El público ha perdido interés por las elecciones.

____ **10.** La agenda pública es

A. el objetivo de un mandato.
B. la postura política de una personalidad.
C. el conjunto de asuntos sobre los que la gente suele hablar y pensar.
D. el objetivo de un grupo de interés.

Los grupos de interés

¿QUÉ SON LOS GRUPOS DE INTERÉS?

RESUMEN DEL TEXTO

La idea PRINCIPAL

Los grupos de interés ofrecen a los estadounidenses un importante medio para influenciar las políticas públicas de la nación.

Un **grupo de interés** es una organización privada cuyos miembros comparten ciertos puntos de vista y se esfuerzan por promocionar sus propios intereses, influyendo en las **políticas públicas,** es decir, las metas que un gobierno se fija y las acciones que lleva a cabo para convertirlas en realidad. Los grupos de interés funcionan tanto a nivel federal como estatal y local.

Los grupos de interés y los partidos políticos existen por motivos de índole política, pero sus objetivos difieren. Los partidos políticos se preocupan principalmente por *quién* desempeña las labores de gobierno, mientras que los grupos de interés se preocupan más por lo que *hace* el gobierno, especialmente en lo relativo a ciertos asuntos en particular.

El papel de los grupos de interés en la política es polémico. Uno de los aspectos positivos es que estimulan el interés de los ciudadanos por los **asuntos de interés públicos,** es decir, aquellos que afectan a todos los habitantes. Estos grupos permiten que la gente participe en la política y que entren en contacto con otras personas que, pese a no vivir cerca, comparten sus puntos de vista. A menudo los grupos de interés aportan información útil sobre el gobierno, a la vez que ejercen una estrecha vigilancia sobre éste. Como suelen estar en competencia unos con otros, los grupos de interés suelen apaciguar a sus propios sectores más radicales.

Los grupos de interés son criticados por ejercer una mayor influencia que la que se merecen, en función del valor de las causas que defienden o del número de ciudadanos que representan. Puede ser una difícil tarea calcular la cantidad de gente que representa un grupo de interés. Algunos de estos grupos no representan las posturas de todas las personas que aseguran representar. Por último, existen ciertos grupos de interés que llevan a cabo acciones deshonestas.

PREGUNTA DE REPASO

¿Qué es un grupo de interés?

GRUPOS DE INTERÉS: TIPOS

RESUMEN DEL TEXTO

Muchos estadounidenses pertenecen a diversas organizaciones que podrían denominarse "grupo de interés". Estas agrupaciones pueden ser enormes o relativamente pequeñas. La mayor parte de los grupos de interés representan intereses económicos (es decir, se empeñan por ganar dinero), como los grupos empresariales, laborales, agrícolas y profesionales.

Una **asociación de comerciantes** es un grupo de interés formado por un segmento del sector comercial, como puede ser la banca. Un **sindicato** es un grupo de interés cuyos afiliados tienen una profesión similar o pertenecen al mismo sector, como pueden ser los policías.

Un conjunto influyente de grupos de interés pertenece al sector agrícola. Estos grupos pueden representar a los agricultores que proveen ciertos productos. Algunos de los grupos de interés profesionales tienen un peso importante en el panorama político estadounidense. Los más numerosos son las organizaciones de médicos, abogados y maestros.

Otros grupos de interés se ocupan de causas políticas y sociales específicas. Defienden los intereses de los veteranos de guerra y los de ancianos, o apoyan causas como la protección del medio ambiente. Existen otros grupos dedicados también a intereses de tipo religioso. Los **grupos de defensa de los intereses públicos** fomentan "el bienestar público", es decir, tratan de representar a todos los habitantes del país en lo que concierne a asuntos específicos, como el derecho a votar. Estos grupos suelen ocuparse de asuntos que afectan a las funciones que comparten todos los estadounidenses, como la de ser ciudadano, consumidor de agua o consumidor en general.

La idea **PRINCIPAL**

Los grupos de interés se forman en torno a muy diversos asuntos, como pueden ser el interés público y la economía.

PREGUNTA DE REPASO

¿A quién representan los sindicatos?

SECCIÓN 3 LAS ACTIVIDADES DE LOS GRUPOS DE INTERÉS

RESUMEN DEL TEXTO

La idea PRINCIPAL

Para influenciar las políticas públicas, los grupos de interés utilizan la propaganda, forman comités de acción política y trabajan con cabilderos.

Los grupos de interés se dirigen al público con tres finalidades. En primer lugar, le brindan información con el fin de obtener su apoyo para sus causas. En segundo lugar, se esfuerzan por crear una imagen positiva de sí mismos. En tercer lugar, fomentan las políticas públicas de las que son partidarios.

Para estos fines, los grupos de interés recurren a menudo a la **propaganda,** que es una técnica de persuasión que tiene como finalidad influenciar los comportamientos individuales o colectivos para formar creencias. Estas creencias pueden ser ciertas, falsas en su totalidad o parcialmente ciertas.

Los grupos de interés reconocen el papel de los partidos políticos cuando deben escoger a quienes tomarán las decisiones políticas y, por lo tanto, tratan de influenciar el comportamiento de los mismos. Algunos grupos de interés forman comités de acción política para recaudar fondos para las campañas de los candidatos que ven como partidarios de sus posturas.

Los **grupos de interés único** son comités de acción política que concentran su labor en un solo asunto. Trabajan en favor o en contra de un candidato político basándose sólo en la postura que éste tenga con respecto al asunto que les concierne.

Los grupos de interés suelen recurrir al **cabildeo,** es decir, a generar presión colectivamente para influenciar todos los aspectos del proceso de definir las políticas públicas. Los cabilderos, que son los representantes de los grupos de interés, utilizan diversas técnicas para llevar a cabo su tarea, como la presión **popular,** que es la presión organizada del pueblo, es decir, los votantes comunes y corrientes. Para evitar la corrupción, existe una serie de leyes federales y estatales que regulan las actividades de los cabilderos.

PREGUNTA DE REPASO

¿Cómo deciden los grupos de interés único si apoyan o no a un candidato político?

Nombre ______________________ Clase ______________ Fecha ________

CAPÍTULO 9 Prueba

IDENTIFICAR LAS IDEAS PRINCIPALES

Escribe la letra de la respuesta correcta en el espacio en blanco. (10 puntos cada una)

____ **1.** Un grupo de interés es una organización privada formada para

A. apoyar las elecciones a nivel local.
B. apoyar los intereses de sus afiliados.
C. nominar a los candidatos a cargos públicos.
D. determinar la opinión pública.

____ **2.** ¿Qué son las políticas públicas?

A. asuntos que afectan al público en general
B. la política que fija el pueblo en lugar del gobierno
C. los objetivos y acciones de un gobierno
D. una técnica para influenciar la opinión pública

____ **3.** Una actividad positiva de los grupos de interés consiste en

A. hacer que la gente se interese en los asuntos públicos.
B. aportar información al gobierno.
C. conectar a personas de distintas partes del país.
D. Todas las respuestas anteriores son correctas.

____ **4.** Los grupos de interés suelen ser criticados por

A. actuar de forma deshonesta.
B. responder únicamente a sus afiliados.
C. trabajar de forma demasiado independiente los unos de otros.
D. trabajar en todos los niveles de gobierno.

____ **5.** La Asociación de la Banca Estadounidense es un ejemplo de

A. sindicato.
B. grupo de interés público.
C. asociación de comerciantes.
D. grupo de interés único.

____ **6.** ¿Cuál es un interés económico representado por casi todos los grupos de interés?

A. intereses comerciales
B. intereses agrícolas
C. intereses profesionales
D. Todas las respuestas anteriores son correctas.

____ **7.** Un grupo de interés único

A. trata elegir o derrotar a de candidatos según diversos factores, como la experiencia.
B. elege o derrota a candidatos basándose en un solo asunto.
C. no se ocupa del cabildeo.
D. trabaja para el bienestar público.

____ **8.** Un cabildero insta a los padres para que escriban cartas a sus representantes en el Congreso en apoyo de un proyecto de ley educativo. Esto es un ejemplo de

A. presión popular.
B. contribuciones de los comités de acción política.
C. un grupo de interés público.
D. propaganda.

____ **9.** La finalidad de un comité de acción política es

A. utilizar la propaganda.
B. defender los intereses de todos los estadounidenses.
C. recaudar dinero para los candidatos políticos.
D. aumentar la afiliación a un grupo de interés.

____ **10.** Las actividades de los cabilderos

A. son ilegales.
B. están reguladas por la ley.
C. están desligadas de la política pública.
D. son fruto de objetivos personales y no colectivos.

El Congreso

LA ASAMBLEA LEGISLATIVA NACIONAL

RESUMEN DEL TEXTO

El Congreso es el poder o rama del Gobierno Nacional que crea las leyes. La Constitución dicta que el Congreso debe ser bicameral; es decir, tener dos cámaras, que son el Senado y la Cámara de Representantes. El Congreso es bicameral con el propósito de darles una representación justa a los estados grandes y pequeños. En el Senado, todos los estados están representados igualmente y tienen el mismo poder. En la Cámara de Representantes, los estados con mayor número de habitantes tienen mayor representación.

La idea PRINCIPAL

El Congreso, compuesto por el Senado y la Cámara de Representantes, es el poder o rama legislativa del Gobierno Nacional.

El **mandato** del Congreso es el período de tiempo durante el cual los funcionarios cumplen su cargo después de las elecciones. Los mandatos comienzan el 3 de enero de los años impares y duran dos años.

El Congreso celebra una **sesión,** o período de reuniones, todos los años. El Congreso puede **levantar,** o terminar, una sesión cuando finaliza su tarea. Hoy en día, el Congreso se reúne durante casi todo el año, con varios recesos o descansos. El Presidente tiene un poder que hasta ahora no se ha utilizado para **prorrogar** o aplazar una sesión si las dos cámaras no se ponen de acuerdo en cuanto a la fecha en que se levanta la sesión.

En caso de emergencia, el Presidente tiene la opción de convocar al Congreso a una **sesión especial.** Debido a que el Congreso está en sesión durante casi todo el año, el Presidente no ha convocado una sesión especial en más de 50 años.

PREGUNTA DE REPASO

¿Cuándo comienza un nuevo mandato el Congreso?

SECCIÓN 2

La Cámara de Representantes

RESUMEN DEL TEXTO

En la actualidad la Cámara de Representantes tiene 435 miembros. El Congreso **distribuye escaños,** o reparte puestos de la Cámara de Representantes entre los distintos estados según la población de cada uno. Cada estado tiene por lo menos un representante en la Cámara de Representantes.

Cada diez años, cuando en los Estados Unidos se cuenta la población, se **redistribuyen los escaños** de la Cámara de Representantes, o se vuelven a repartir. A este conteo se le llama censo. Después de que se lleva a cabo un censo, es posible que la cantidad de representantes de cada estado cambie según los cambios en su población.

Una vez que el Congreso le indica la cantidad de escaños que tiene en la Cámara de Representantes, el estado traza los límites de sus distritos electorales. Los estados deben seguir ciertas pautas y evitar las **manipulaciones de distritos** o divisiones injustas que benefician al partido que controla la legislatura del estado.

Desde 1842, el uso del sistema de **un miembro por distrito** ha permitido que los votantes de cada distrito congresional elijan a un representante de entre un grupo de candidatos asociados con ese distrito. Antes de 1842, los votantes elegían a sus representantes **por votación general,** o de todo el estado.

Para ser representante, una persona debe tener al menos 25 años de edad, haber sido ciudadano de los Estados Unidos por siete años y vivir en el estado que él o ella desea representar. Los representantes tienen mandatos de dos años y pueden ser electos una cantidad ilimitada de veces. Las elecciones congresionales se llevan a cabo en el mes de noviembre de los años pares. Una **elección intermedia** es una elección congresional que se lleva a cabo entre dos elecciones presidenciales.

La idea PRINCIPAL

Los miembros de la Cámara de Representantes, que tienen una cantidad ilimitada de mandatos de dos años, representan distritos de poblaciones aproximadamente iguales.

PREGUNTA DE REPASO

Describe el sistema de un miembro por distritos para seleccionar un representante.

SECCIÓN 3 EL SENADO

RESUMEN DEL TEXTO

El Senado tiene 100 miembros, dos de cada estado: es un número establecido por la Constitución. El Senado es, por lo tanto, un cuerpo mucho más pequeño que la Cámara de Representantes. Los votantes de cada estado eligen un senador en cada elección, a menos que el otro escaño haya quedado vacante debido a la muerte, renuncia o expulsión de un senador, en cuyo caso dicho escano también debe ocuparse.

La idea PRINCIPAL

Cada estado tiene dos escaños o puestos en el Senado, que es la más pequeña de las dos cámaras del Congreso.

Al Senado se le llama la "cámara alta" del Congreso porque los senadores cumplen requisitos más estrictos y tienen mandatos más largos que los representantes. Los senadores tienen mandatos de seis años, cuyas fechas iniciales están escalonadas, de manera que solamente una tercera parte de los mandatos de los senadores termina a la misma vez. Eso significa que cada dos años, se terminan los mandatos de aproximadamente 33 senadores que hay que reelegir. El Senado es, por lo tanto, un **organismo estable:** nunca contiene solamente miembros nuevos, y por ello la mayoría de sus miembros siempre cuenta con experiencia.

Los mandatos más largos de los senadores y la mayor cantidad y diversidad geográfica de su **electorado** (las personas que los votan) están diseñados para distanciar a los senadores de la política de todos los días, por lo menos hasta cierto punto. A diferencia de sus **colegas,** o compañeros de trabajo en la Cámara de Representantes, los senadores tienen más poder y prestigio, y es más probable que sean vistos como dirigentes políticos a nivel nacional.

Para ser senador, una persona debe tener al menos 30 años de edad, haber sido ciudadano de los Estados Unidos por un mínimo de nueve años y vivir en el estado que desea representar.

PREGUNTA DE REPASO

¿Por qué es que el Senado un organismo estable?

SECCIÓN 4

LOS MIEMBROS DEL CONGRESO

RESUMEN DEL TEXTO

La mayor parte de los miembros del Congreso son hombres blancos de clase media alta, aunque en años recientes se han elegido más mujeres y personas de grupos minoritarios. La mayor parte de los senadores también ha tenido experiencia previa en la política, por ejemplo, como gobernadores o legisladores a nivel estatal.

Por lo general, los miembros del Congreso asumen una de los siguientes funciones durante las votaciones que conciernen a los proyectos de ley. Como **depositarios,** piensan en los méritos de cada proyecto de ley, independientemente de las opiniones del electorado. Como delegados, basan sus votos en los deseos de las personas de su estado de origen, su electorado. Como **partidistas,** votan según la opinión de su partido. Como **políticos,** piensan en todos estos factores al votar.

Dentro de los comités, los miembros del Congreso examinan los posibles proyectos de ley y deciden cuáles se debe debatir. Los comités además ejercen una **función supervisora,** asegurándose de que el poder ejecutivo esté funcionando de una forma efectiva y que esté de acuerdo con las directrices que ha establecido el Congreso.

Los miembros del Congreso también actúan como servidores de sus electores. En esta función, ayudan a las personas a quienes representan a resolver los problemas que tengan con el Gobierno Nacional.

Al cumplir las funciones mencionadas, los miembros del Congreso desempeñan cinco funciones primordiales: son legisladores, representantes de sus electores, miembros de comités, servidores de sus electores y políticos. A cambio de su labor, reciben un sueldo y beneficios, como el **privilegio postal,** que es el derecho de enviar correo sin ponerle estampillas.

La idea PRINCIPAL

Los miembros del Congreso, que reciben un sueldo generoso y valiosos beneficios, cumplen varias funciones.

PREGUNTA DE REPASO

Menciona cuatro funciones diferentes que pueden asumir los miembros del Congreso durante la votación sobre un proyecto de ley.

Nombre ______________________ Clase ______________ Fecha ________

CAPÍTULO 10 Prueba

IDENTIFICAR LAS IDEAS PRINCIPALES

Escribe la letra de la respuesta correcta en el espacio en blanco. (10 puntos cada una)

____ **1.** ¿Cuánto dura un mandato en la Cámara de Representantes?

A. 1 año
B. 2 años
C. 4 años
D. 6 años

____ **2.** El número de miembros de la Cámara de Representantes que representa a cada estado se vuelve a calcular cada

A. 2 años.
B. 4 años.
C. 6 años.
D. 10 años.

____ **3.** Cuando se levanta la sesión del Congreso,

A. termina la sesión.
B. se decide si va a considerar un proyecto de ley.
C. el Congreso se divide en comités.
D. se habla de una situación de emergencia.

____ **4.** ¿Qué significa *redistribuir escaños* de la Cámara de Representantes?

A. Los distritos de la Cámara de Representantes cambian según los resultados de las elecciones.
B. Los representantes recién electos ocupan sus escaños en la Cámara de Representantes.
C. El número de escaños de la Cámara de Representantes que corresponde a cada estado cambia según los cambios de población.
D. Un mandato del Congreso termina y uno nuevo comienza.

____ **5.** Un distrito de la Cámara de Representantes que se traza para darle la ventaja a un partido político es

A. una elección intermedia.
B. un distrito donde se elige un miembro.
C. una manipulación de distritos.
D. un censo.

____ **6.** ¿A cuántos senadores hay que reelegir cada dos años?

A. una sexta parte
B. una tercera parte
C. la mitad
D. todos

____ **7.** Como la mayoría de los senadores siempre tiene experiencia, se dice que el Senado es

A. una cámara de colegas.
B. un organismo estable.
C. bicameral.
D. un cuerpo partidista.

____ **8.** En la función de servidores de sus electores, los miembros del Congreso

A. trabajan para su partido político.
B. supervisan el trabajo del poder ejecutivo.
C. examinan los proyectos de ley para decidir la acción que se debe tomar en la Cámara de Representantes o en el Senado.
D. ayudan a las personas de su distrito o estado en su trato con el Gobierno Nacional.

____ **9.** ¿Cuál es la que cumple función de un miembro del Congreso que vota según los deseos de sus electores?

A. depositario
B. delegado
C. partidista
D. político

____ **10.** Para ser candidato a senador, ¿cuál es la edad mínima que debe tener una persona?

A. 21
B. 30
C. 45
D. 25

Los poderes del Congreso

EL ALCANCE DE LOS PODERES DEL CONGRESO

RESUMEN DEL TEXTO

El Artículo 1 de la Constitución define al Congreso y le otorga una serie de poderes específicos denominados **poderes explícitos.** La Constitución estipula también los poderes que no puede tener el Congreso. Los poderes del Congreso que no figuran en la Constitución, pero que son necesarios para poner en práctica sus poderes explícitos se llaman **poderes implícitos.** El Congreso también cuenta con **poderes inherentes** por definición, dado que se trata de la rama legislativa del gobierno de una nación.

Las discusiones sobre los poderes del Congreso comenzaron cuando se redactó la Constitución. Los **intérpretes estrictos** querían que los estados contaran con el máximo poder posible. Opinaban que el mejor gobierno era el que menos intervenía en las tareas gubernamentales. El Congreso debía, pues, utilizar sólo aquellos poderes explícitos e implícitos imprescindibles para cumplir con su misión.

Los **intérpretes liberales** querían interpretar los poderes del Congreso de manera amplia o liberal. Eran partidarios de un gobierno más activo. Desde el principio prevalecieron los intérpretes liberales. Desde entonces, el Congreso ha ido adquiriendo poderes que los artífices de la Constitución jamás hubieran imaginado.

Acontecimientos como las guerras y las crisis económicas han contribuido al aumento del poder del gobierno a nivel nacional, así como las mejoras en las comunicaciones y en el transporte. Por lo general, los estadounidenses han estado de acuerdo, o llegado a un **consenso,** sobre el alcance de los poderes que ostenta el Congreso.

La idea PRINCIPAL

La Constitución le otorga al Congreso ciertos poderes, pero al ser interpretada de forma liberal, el alcance del poder del Congreso ha ido aumentando.

PREGUNTA DE REPASO

¿Cuáles son los poderes explícitos del Congreso?

SECCIÓN 2

LOS PODERES EXPLÍCITOS DEL DINERO Y EL COMERCIO

RESUMEN DEL TEXTO

La idea PRINCIPAL

Muchos de los poderes explícitos del Congreso tienen que ver con el dinero y con el comercio o los negocios.

La Constitución le otorga al Congreso autoridad para **cobrar impuestos,** es decir, imponer tarifas sobre los ciudadanos o sobre la propiedad para hacer frente a las necesidades públicas. No obstante, la recaudación de impuestos debe hacerse cumpliendo todas las demás estipulaciones de la Constitución.

Más del 90 por ciento de la recaudación del Gobierno Federal proviene de los impuestos. Existen dos tipos de impuestos: los **impuestos directos** que paga directamente el ciudadano como el impuesto a la renta, los **impuestos indirectos** que paga primero una persona, como por ejemplo un fabricante, y luego se transfieren a otros individuos, como los consumidores.

La Constitución permite al Congreso tomar dinero prestado. Hasta hace relativamente poco, el Gobierno Federal gastaba más de lo que recaudaba cada año, tomando dinero prestado para compensar la diferencia. Esta práctica, llamada **financiación del déficit,** dio lugar a una enorme **deuda pública,** un dinero que la nación debe. En los últimos años, el gobierno ha logrado equilibrar su presupuesto.

El **poder mercantil** del Congreso le permite regular el comercio, es decir, los negocios entre estados o con países extranjeros. La Corte Suprema ha dictado que el término "comercio" abarca también el transporte y otros métodos de interacción entre las personas. No obstante, el Congreso no puede aplicar impuestos a las exportaciones, ni favorecer a ningún estado en particular.

Sólo el Congreso tiene autoridad para "acuñar moneda". El dinero que emite el gobierno se llama **moneda de curso legal,** o dinero que, por ley, debe aceptarse como pago de deudas.

El Congreso puede también crear leyes sobre la **bancarrota.** Una persona está en bancarrota cuando un tribunal determina que no puede pagar sus cuentas pendientes. La bancarrota es el proceso legal por el cual los bienes de ese individuo se reparten entre aquellos a quienes les debía dinero.

PREGUNTA DE REPASO

¿Cuál es la diferencia entre los impuestos directos y los impuestos indirectos?

OTROS PODERES EXPLÍCITOS

RESUMEN DEL TEXTO

Ocho de los poderes explícitos del Congreso tienen que ver con la guerra y la defensa nacional. El Congreso comparte estos poderes con el Presidente, que es el comandante en jefe de todas las fuerzas armadas del país. Sin embargo, sólo el Congreso tiene autoridad para declarar la guerra. También puede organizar y financiar un ejército y una marina.

Como parte de sus otros poderes explícitos, el Congreso aprueba leyes sobre la **naturalización,** es decir, el proceso mediante el cual los extranjeros se convierten en ciudadanos estadounidenses. El Congreso puede también establecer oficinas de correos y ha utilizado este poder para aprobar leyes que penalizan los delitos contra el sistema postal.

La Constitución exhorta al Congreso a fomentar las ciencias y las artes protegiendo la obra tanto de escritores como de inventores. Para ello, entre otras medidas ha aprobado una serie de leyes de defensa de la propiedad intelectual. A los derechos exclusivos que tiene un autor a reproducir, publicar y vender su obra se los llama **derechos de autor,** o copyright. Una **patente** le otorga a un inventor el derecho exclusivo a fabricar, utilizar o vender "todo nuevo trabajo artístico, máquina o producto manufacturado de utilidad . . . o cualquier mejora nueva y de utilidad".

El Congreso tiene la autoridad de fijar las medidas de peso y de longitud del país. Puede también adquirir, administrar y vender ciertos territorios federales, como los parques. El Gobierno Federal puede apoderarse de una propiedad privada por **dominio eminente,** es decir, la autoridad de usar terrenos privados en virtud del interés público. El Congreso también tiene la autoridad de crear tribunales federales de menor rango que la Corte Suprema.

La idea PRINCIPAL

El Congreso cuenta con diversos poderes explícitos importantes que no tienen que ver con el dinero y el comercio.

PREGUNTA DE REPASO

¿Qué finalidad tienen los derechos de autor y las patentes?

SECCIÓN 4 LOS PODERES IMPLÍCITOS

RESUMEN DEL TEXTO

La idea **PRINCIPAL**

La Cláusula de Necesidad y Procedencia dio paso a una expansión masiva de los poderes del Congreso.

Los poderes implícitos del Congreso derivan de la **Cláusula de Necesidad y Procedencia** de la Constitución. Esta cláusula le otorga al Congreso toda la autoridad "necesaria y procedente" para hacer uso de sus poderes explícitos. La cláusula se llama también "Cláusula Elástica", puesto que su uso ha "estirado" en gran medida los poderes del Congreso. Por ejemplo, pese a que la Constitución no menciona nada sobre la educación, el Congreso **asigna,** o destina para un fin particular, miles de millones de dólares para la educación todos los años.

Las disputas en torno a los poderes implícitos del Congreso comenzaron en la década de 1790. Los intérpretes liberales, encabezados por Alexander Hamilton, querían que el Congreso fundase un banco nacional. Esta autoridad no estaba recogida por ningún poder explícito, pero los intérpretes liberales la consideraban un poder implícito. Los intérpretes estrictos, encabezados por Thomas Jefferson, pensaban que el gobierno debía hacer uso únicamente de aquellos poderes *absolutamente* imprescindibles para poner en práctica los poderes explícitos. No obstante, los intérpretes liberales prevalecieron.

En 1819, se presentó ante la Corte Suprema el caso *McCulloch* contra *Maryland*, que ponía en duda si era constitucional que el Congreso fundara un banco nacional. La Corte Suprema dictó que el banco era constitucional, apoyando por tanto la idea de los poderes implícitos. Desde entonces, la **doctrina,** o política fundamental, de los poderes implícitos ha sido aplicada constantemente.

PREGUNTA DE REPASO

¿Por qué se le suele llamar "Cláusula Elástica" a la Cláusula de Necesidad y Procedencia?

SECCIÓN 5 *LOS PODERES NO LEGISLATIVOS*

RESUMEN DEL TEXTO

La Constitución le otorga al Congreso diversos poderes no legislativos. Por ejemplo, el Congreso puede proponer enmiendas a la Constitución si éstas cuentan con el respaldo de dos tercios de cada una de las cámaras.

El Congreso tiene ciertos deberes electorales que rara vez utiliza. La Cámara de Representantes puede elegir al Presidente si ninguno de los candidatos logra la mayoría de los votos electorales. El Senado puede escoger al Vicepresidente en circunstancias similares. Si el puesto del Vicepresidente queda vacante, el Presidente nomina a un **sucesor,** o sustituto, que deberá someterse a una votación en el Congreso.

La Constitución indica que cualquier funcionario civil, como el Presidente, puede ser destituido o removido de su cargo. La Cámara de Representantes tiene autoridad para **residenciar** o presentar acusaciones contra cualquier funcionario civil. Estas acusaciones pueden derivar de acciones como el **perjurio** (mentir bajo juramento), o de no presentarse a una **citación,** que es una orden judicial que obliga a alguien a comparecer ante un tribunal o a entregar requerido material.

En este tipo de juicio el Senado actúa como juez, que puede decidir por votación **absolver** al acusado, es decir, declarar que no es culpable. En tal caso, los miembros del Congreso pueden tratar de **censurar** al funcionario, es decir, emitir una condena formal de sus acciones.

El Senado cuenta también con ciertos poderes ejecutivos. Puede asesorar a la rama ejecutiva. Tiene la autoridad para aprobar nombramientos y tratados hechos por el Presidente.

Por último, el Congreso tiene autoridad para investigar cualquier asunto que esté dentro del ámbito de sus poderes. Para ello se vale de sus comités permanentes.

La idea PRINCIPAL

El Congreso cuenta con una serie de poderes no legislativos, como el electoral, el ejecutivo y el de investigación.

PREGUNTA DE REPASO

¿Qué ocurre cuando se residencia a alguien?

Nombre ____________________ Clase ____________ Fecha ________

CAPÍTULO 11 *Prueba*

IDENTIFICAR LAS IDEAS PRINCIPALES

Escribe la letra de la respuesta correcta en el espacio en blanco. (10 puntos cada una)

____ **1.** Los poderes explícitos del Congreso

A. se insinúan en la Constitución.
B. son los que asume en tiempos de crisis.
C. están escritos en la Constitución.
D. derivan de la Corte Suprema.

____ **2.** El consenso de la opinión pública estadounidense está a favor de

A. una interpretación estricta de la Constitución.
B. una interpretación neutral de la Constitución.
C. no prestarle atención a la Constitución.
D. una interpretación liberal de la Constitución.

____ **3.** El poder mercantil del Congreso le permite

A. regular el comercio y los negocios.
B. fijar las reglas para obtener la ciudadanía.
C. crear tribunales federales.
D. tomar dinero prestado.

____ **4.** La autoridad mediante la cual el Congreso puede apoderarse de una propiedad privada para construir una autopista interestatal o un parque nacional se llama

A. poder mercantil.
B. poder por dominio eminente.
C. poder de tomar dinero prestado.
D. poder de recaudar impuestos.

____ **5.** El derecho legal exclusivo que tiene un escritor sobre su propia obra está protegido por

A. una patente.
B. los derechos de autor.
C. la moneda de curso legal.
D. la bancarrota.

____ **6.** Una tienda está obligada a aceptar billetes de dólar estadounidense porque son

A. impuestos directos.
B. impuestos indirectos.
C. moneda de curso legal.
D. dominio eminente.

____ **7.** El poder que tiene la Cámara de Representantes para acusar oficialmente a un funcionario por obrar mal se llama poder de

A. juicio de residencia.
B. perjurio.
C. citación.
D. censura.

____ **8.** Si ninguno de los candidatos presidenciales obtiene la mayoría de los votos electorales, el Presidente es elegido por

A. el Senado.
B. ambas cámaras del Congreso.
C. la Corte Suprema.
D. la Cámara de Representantes.

____ **9.** La primera disputa sobre los poderes implícitos del Congreso surgió en torno a la creación de

A. un ejército.
B. un impuesto directo.
C. un banco nacional.
D. una patente.

____ **10.** ¿Quién debe aprobar los nombramientos del Presidente?

A. el Senado
B. la Cámara de Representantes
C. los intérpretes liberales
D. los intérpretes estrictos

El Congreso en acción

EL CONGRESO SE ORGANIZA

RESUMEN DEL TEXTO

Cuando el Congreso comienza un nuevo mandato, la Cámara de Representantes se vuelve a organizar para acomodar a los nuevos miembros. Los miembros eligen a su líder, que les toma juramento a todos los demás miembros. Luego, los miembros del Congreso adoptan sus normas de trabajo y designan a los miembros de los comités permanentes. El Senado no requiere tanta reorganización, puesto que dos tercios de sus miembros son los mismos del mandato anterior.

La Cámara de Representantes está presidida por el **Presidente de la Cámara,** quien puede someter a debate o a votación cualquier asunto ante la cámara. El Presidente de la Cámara es líder del partido mayoritario y el miembro del Congreso que ostenta la mayor autoridad.

El Vicepresidente de los Estados Unidos cumple la función de **Presidente del Senado.** El Vicepresidente supervisa las sesiones del Senado, pero no puede someter asuntos a debate y sólo vota cuando se produce un empate. En ausencia del Vicepresidente preside el **presidente interino.**

Después del Presidente de la Cámara de Representantes, los miembros con más autoridad son los **dirigentes de la sala** del partido mayoritario y del partido minoritario, que son los portavoces principales de los partidos. Éstos son elegidos durante las **asambleas electorales del partido,** que son reuniones que celebran los miembros de cada partido justo antes de que comience a reunirse el Congreso. Los dirigentes de la sala tratan de que se aprueben las leyes que sus respectivos partidos desean. Cada dirigente de la sala cuenta con un **ayudante.**

Los **presidentes de los comités** cuentan también con mucho poder en el Congreso y son los que dirigen los comités permanentes que llevan a cabo la mayor parte de las tareas del Congreso. Casi siempre son los miembros más veteranos del partido mayoritario en cada comité. Esta costumbre forma parte de lo que se denomina la **norma de antigüedad,** que otorga los puestos más importantes en el Congreso a los miembros del partido con mayor experiencia.

La idea PRINCIPAL

Para llevar a cabo su complicada labor, el Congreso se organiza con mucho cuidado.

PREGUNTA DE REPASO

¿Cómo funciona la norma de antigüedad?

SECCIÓN 2

LOS COMITÉS DEL CONGRESO

RESUMEN DEL TEXTO

La idea **PRINCIPAL**

Tanto el Senado como la Cámara de Representantes se dividen en comités para administrar sus tareas y decidir a qué proyectos dirigir su atención.

El Congreso lleva a cabo la mayor parte de sus tareas mediante comités, o grupos pequeños. Los **comités permanentes** se especializan en un tema y se encargan de todos los proyectos de ley relacionados con dicho asunto. El partido mayoritario cuenta con la mayoría de los escaños en todos los comités. Los partidos escogen a los miembros de los comités, y el Congreso los ratifica.

El Comité Reglamentario de la Cámara de Representantes es uno de los comités con más autoridad de la cámara. Sus miembros determinan cuándo y bajo qué condiciones se someten a debate y a votación los proyectos de ley en la Cámara de Representantes. El Comité Reglamentario puede acelerar, retrasar e incluso impedir la tramitación de un proyecto de ley.

El Congreso dispone de varios comités especiales. Un **comité selecto** es un grupo establecido para un propósito específico y generalmente temporal, como puede ser una investigación. Un **comité conjunto,** que puede ser temporal o permanente, está formado por miembros de ambas cámaras para evitar que los diferentes comités de cada cámara hagan la misma tarea dos veces. Un **comité de conferencia** es un tipo de comité conjunto temporal que se establece cuando tanto la Cámara de Representantes como el Senado aprueban versiones distintas de una misma ley. Los comités de conferencia redactan un proyecto de ley que sea aceptable para ambas cámaras.

PREGUNTA DE REPASO

¿Cuál es la principal tarea del Comité Reglamentario de la Cámara de Representantes?

DE PROYECTO A LEY: LA CÁMARA DE REPRESENTANTES

RESUMEN DEL TEXTO

En cada sesión del Congreso se considera la aprobación de miles de proyectos de ley y de resoluciones. Un **proyecto de ley** es una ley que se propone y que afecta a toda la nación, a cierto sector de la población o a un lugar determinado. Una **resolución** es una medida que aprueba una de las cámaras pero que no tiene tanto peso como una ley. Una **resolución concurrente** carece también del peso de una ley y se refiere a asuntos para los cuales la Cámara de Representantes y el Senado deben actuar de forma conjunta. Una **resolución conjunta** sí tiene el mismo peso que una ley y se utiliza para asuntos extraordinarios o temporales. Un proyecto de ley o resolución suele tratar sobre un solo asunto, pero puede llevar adjunto un **anexo** que trata sobre un tema distinto. Un anexo es una propuesta que cuenta con pocas posibilidades de ser aprobada por sí sola; por ello, se adjunta a un proyecto de ley que tenga buenas probabilidades de ser aprobado.

Una vez que se presenta un proyecto de ley, se lee ante la cámara; luego, el Presidente de la Cámara de Representantes se lo entrega al comité permanente correspondiente. La mayor parte del trabajo que se lleva a cabo con un proyecto de ley lo realizan los **subcomités,** pequeños grupos dentro de los comités. A continuación, el comité puede emprender alguna acción con el proyecto de ley, o apartarlo y dejarlo a un lado. En este último caso, se puede pedir que el proyecto sea debatido ante la cámara mediante una **petición de liberación** aprobada por la mayoría de los miembros de la Cámara de Representantes.

Una vez que sale del comité, al proyecto de ley se le asigna una fecha en el calendario o programa de debates. Para que sea debatido, todo proyecto de ley debe ser aprobado por el Comité Reglamentario; de lo contrario, es rechazado por completo.

Cuando le llega el turno, el proyecto de ley se lee de nuevo ante la cámara. Para acelerar el proceso, toda la Cámara de Representantes puede debatirlo en conjunto. A este tipo de comité se lo denomina **Comité Plenario,** que es un gran comité con normas menos estrictas que las de la Cámara de Representantes. Por ejemplo, el **quórum** o cantidad mínima de miembros necesarios para decidir algo es menor cuando se trata del Comité Plenario que cuando se trata de la Cámara de Representantes.

Por último, el proyecto de ley se somete a votación. Si es aprobado, éste se **pasa en limpio,** es decir, se redacta en su versión final. Se lee por última vez y, si es aprobado, pasa al Senado.

La idea PRINCIPAL

Un proyecto de ley debe someterse a diversas revisiones y audiencias ante los comités antes de llegar a la Cámara de Representantes. Una vez aprobado, el proyecto pasa al Senado.

PREGUNTA DE REPASO

¿Por qué son debatidos por el Comité Plenario algunos proyectos de ley?

SECCIÓN 4

El proyecto de ley en el Senado

RESUMEN DEL TEXTO

En el Senado, el proyecto de ley sigue los mismos pasos que en la Cámara de Representantes. Sin embargo, gran parte de los procedimientos del Senado son menos formales que los de la Cámara de Representantes.

La idea PRINCIPAL

Aunque el proceso para aprobar leyes del Senado es muy parecido al de la Cámara de Representantes, los debates en el Senado tienen pocas restricciones.

A diferencia de la Cámara de Representantes, el Senado permite que el debate sobre un proyecto de ley continúe hasta que todos los senadores decidan poner fin a dicho debate. Si uno de los senadores no está de acuerdo, el debate continúa y puede dar lugar a una **obstrucción,** que es el proceso mediante el cual un senador puede retrasar la actuación del Senado hablando sin cesar. El Senado puede evitar esta obstrucción sólo si tres quintas partes de los senadores votan en favor de **clausurar** o dar fin al debate.

Para que el Congreso le pase un proyecto de ley al Presidente, ambas cámaras deben haber aprobado versiones idénticas del proyecto. Si es necesario, un comité de conferencia puede encargarse de redactar una versión que sea aceptable para ambas cámaras.

El Presidente dispone de diez días desde que recibe el proyecto de ley para actuar. Puede firmar el proyecto de ley, convirtiéndolo en ley. Puede también **vetar,** es decir, negarse a firmar dicho proyecto de ley y devolvérselo al Congreso. En dicho caso, el proyecto de ley se invalida, a menos que ambas cámaras lo aprueben de nuevo por un voto de dos tercios de sus miembros. El Presidente puede también optar por dejar que el proyecto de ley pase a ser ley sin firmarlo si no emprende acción alguna en un plazo de diez días. Existe una variante de esta opción, que consiste en lo siguiente: si el Congreso levanta su sesión antes de que finalice un plazo de diez días y el Presidente no ha firmado un proyecto de ley, éste quedará invalidado. A esta acción se la llama **veto de hecho.**

PREGUNTA DE REPASO

¿Por qué puede interesarle a un senador hablar durante mucho tiempo durante el debate de un proyecto de ley?

Nombre ______________________ Clase ______________ Fecha ________

CAPÍTULO 12 *Prueba*

IDENTIFICAR LAS IDEAS PRINCIPALES

Escribe la letra de la respuesta correcta en el espacio en blanco. (10 puntos cada una)

____ **1.** El dirigente con mayor rango en la Cámara de Representantes es el

A. Presidente de la Cámara de Representantes.
B. dirigente de la sala.
C. ayudante del dirigente de la sala.
D. presidente interino.

____ **2.** Los presidentes de los comités del Congreso son elegidos por

A. votación de los miembros del comité.
B. antigüedad.
C. votación del partido mayoritario.
D. el Presidente de la Cámara de Representantes.

____ **3.** El presidente del Senado es

A. el senador más veterano.
B. el que elije el comité del partido mayoritario.
C. el Vicepresidente.
D. un miembro importante del partido mayoritario.

____ **4.** ¿Qué es un comité conjunto?

A. un comité selecto
B. un comité de conferencia
C. un comité permanente
D. un Comité Plenario

____ **5.** La tarea principal de los dirigentes de la sala es

A. supervisar las sesiones de la Cámara de Representantes.
B. evitar obstrucciones.
C. vetar proyectos de ley.
D. recopilar los votos de los miembros del partido para futuros proyectos de ley.

____ **6.** El último paso del proceso legislativo en la Cámara de Representantes es

A. la asignación de una fecha en el calendario.
B. un dictamen del Comité Reglamentario de la Cámara de Representantes.
C. el paso del proyecto a un subcomité.
D. el debate ante la Cámara.

____ **7.** Pese a no ser ley, ¿cuál de los siguientes tiene el peso de una ley?

A. una resolución conjunta
B. un proyecto de ley
C. una resolución concurrente
D. una resolución

____ **8.** El propósito de que el Comité Plenario tome decisiones sobre proyectos de ley importantes es

A. garantizar que todos los miembros de la cámara tengan la oportunidad de hablar sobre dicho proyecto.
B. hablar sobre el proyecto hasta invalidarlo.
C. acelerar el debate ante la cámara.
D. garantizar que ambas cámaras aprueben la misma versión del proyecto de ley.

____ **9.** El primer paso del proceso legislativo es

A. un veto de hecho.
B. la asignación de una fecha en el calendario.
C. una audiencia ante un subcomité.
D. una obstrucción.

____ **10.** El Presidente puede vetar de hecho un proyecto de ley sólo si

A. éste procede de un comité de conferencia.
B. la sesión del Congreso está terminando.
C. el Congreso no se lo envía a él.
D. se trata de un proyecto de ley sobre impuestos.

La presidencia

DESCRIPCIÓN DE LA LABOR DEL PRESIDENTE

RESUMEN DEL TEXTO

La idea **PRINCIPAL**

El Presidente de los Estados Unidos debe desempeñar simultáneamente ocho funciones distintas.

La Constitución le otorga al Presidente seis de sus ocho funciones. El Presidente cumple las funciones de jefe de ceremonias del gobierno, o **jefe de estado.** Como tal, es el representante de todos los ciudadanos del país. El Presidente encabeza también el poder ejecutivo, y por ello se le llama **ejecutivo en jefe.** Como **administrador en jefe,** lleva a cabo la gestión del Gobierno Federal. Como **diplomático en jefe,** define la política internacional de la nación. Como **comandante en jefe,** controla directamente todas las fuerzas armadas estadounidenses. También elabora la agenda del Congreso desempeñando su papel de **legislador en jefe.**

Hay dos funciones del Presidente que no están estipuladas en la Constitución. El Presidente es el **líder del partido,** es decir, el dirigente extraoficial de su partido político. También es el **ciudadano en jefe** y, como tal, debe trabajar por el bien público y ser su máximo representante.

Para ser Presidente, es preciso ser ciudadano estadounidense de nacimiento, tener por lo menos 35 años y haber vivido en los Estados Unidos durante los últimos 14 años. En 1951, la 22ª enmienda limitó la duración de la presidencia a dos mandatos de cuatro años cada uno. El Presidente cobra un sueldo y recibe beneficios.

PREGUNTA DE REPASO

¿Cuáles son los tres requisitos para ser presidente?

LA SUCESIÓN PRESIDENCIAL Y LA VICEPRESIDENCIA

RESUMEN DEL TEXTO

El proceso mediante el cual se cubre el puesto vacante de Presidente se llama **sucesión presidencial**. De acuerdo con la 25ª enmienda, el Vicepresidente ocupará el puesto del Presidente en caso de que este último fallezca, renuncie o sea removido de su cargo. En caso de que el Vicepresidente no pueda asumir la presidencia, la **Ley de Sucesión Presidencial de 1947** estipula que el presidente de la Cámara de Representantes y el presidente interino del Senado serán los siguientes funcionarios en la línea de sucesión.

La 25ª enmienda también establece lo que ocurriría si el Presidente perdiera las facultades para gobernar. El Vicepresidente se convertiría en Presidente en funciones si el Presidente le comunicara al Congreso que ya no puede cumplir con su tarea, o si el Vicepresidente y la mayoría del Gabinete presidencial le comunicara al Congreso que el Presidente no está capacitado para gobernar.

El Presidente puede asumir de nuevo su cargo una vez que se considere apto para ello. Si el Vicepresidente y la mayoría del Gabinete presidencial no son partidarios de esta decisión, el Congreso deberá determinar si persiste la incapacidad del mandatario.

Además de colaborar en la decisión sobre la aptitud para gobernar del Presidente, la Constitución le asigna al Vicepresidente únicamente un papel: el de presidir el Senado. Los partidos políticos suelen escoger un candidato a la Vicepresidencia que **modere la candidatura,** es decir, que contribuya a que el candidato a Presidente sea del agrado de un sector de votantes lo más amplio posible.

Si el puesto de Vicepresidente queda vacante, el Presidente escoge un sustituto que deberá ser ratificado por una mayoría en ambas cámaras.

La idea PRINCIPAL

Si el Presidente fallece, renuncia o es removido de su cargo, lo sucede el Vicepresidente.

PREGUNTA DE REPASO

¿Quién puede decidir que el Presidente está incapacitado para ejercer sus funciones?

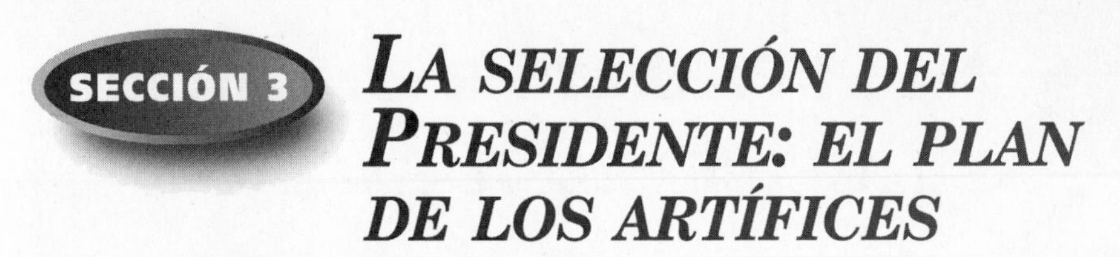

SECCIÓN 3 LA SELECCIÓN DEL PRESIDENTE: EL PLAN DE LOS ARTÍFICES

RESUMEN DEL TEXTO

Los artífices de la Constitución debatieron a fondo el mejor método para escoger al Presidente. La mayor parte de ellos no eran partidarios de que fuese elegido por el Congreso ni por votación directa del pueblo.

Los artífices de la Constitución decidieron que una junta de **electores presidenciales,** conocida como **colegio electoral,** fuera la encargada de elegir tanto al Presidente como al Vicepresidente. Cada uno de estos electores disponía de dos **votos electorales,** cada uno para un candidato diferente. El candidato que recibía un mayor número de votos era nombrado Presidente, y el segundo pasaba a ocupar la Vicepresidencia.

Pero pronto surgieron problemas con este sistema, en parte debido al incremento del número de partidos políticos. En 1796, John Adams, un federalista, fue elegido Presidente. Thomas Jefferson, miembro del partido opositor —el Partido Republicano Demócratico—, obtuvo el segundo puesto, convirtiéndose así en Vicepresidente.

En las elecciones de 1800, cada partido nominó a sus propios candidatos a la Presidencia y a la Vicepresidencia. Sin embargo, tanto Thomas Jefferson como su compañero de candidatura obtuvieron el mismo número de votos electorales. La Cámara de Representantes tuvo entonces que escoger al Presidente; tras diversas votaciones, terminó eligiendo a Jefferson.

Para evitar este tipo de inconvenientes, en 1804 se aprobó la 12ª enmienda, por la cual los electores podían votar por separado por un candidato para la Presidencia, y por otro para la Vicepresidencia. Las elecciones de 1800 también introdujeron el nombramiento de electores comprometidos a votar por ambos candidatos de su partido, así como la presentación automática de sus votos electorales según ese compromiso. En la actualidad, tanto el Presidente como el Vicepresidente son todavía elegidos formalmente por el colegio electoral.

La idea PRINCIPAL

Los artífices de la Constitución crearon un colegio electoral encargado de escoger tanto al Presidente como al Vicepresidente, pero este sistema fue modificado poco después.

PREGUNTA DE REPASO

¿Cuál es la finalidad del colegio electoral?

SECCIÓN 4

NOMINACIONES PRESIDENCIALES

RESUMEN DEL TEXTO

Para nominar a los candidatos a Presidente y Vicepresidente, cada partido político celebra una **convención nacional,** es decir, una reunión en la que votan los delegados del partido. Muchos estados celebran **primarias presidenciales,** o elecciones del partido, para ayudar a escoger a los delegados que irán a las convenciones nacionales. Las normas para celebrar las elecciones primarias son distintas según las leyes de cada estado. En las primarias de algunos estados, los votantes escogen directamente a los delegados para la convención. En otros estados, los votantes escogen de entre los candidatos de su partido, y esos resultados se utilizan a la hora de elegir a los delegados. Para las elecciones del año 2000, se celebraron primarias en todos los estados menos en seis. En los otros seis estados, los partidos escogieron a sus candidatos mediante asambleas electorales locales y convenciones estatales.

Un reducido número de estados elige a sus delegados según el principio **"el ganador se lo lleva todo".** Esto quiere decir que el vencedor de la primaria se lleva los votos de todos los delegados del estado que estén en la convención. El Partido Demócrata ya no permite este tipo de elecciones, sino que utiliza un complicado sistema de **representación proporcional** que le otorga una parte proporcional de los votos de los delegados a cada candidato que obtiene un mínimo de un 15 por ciento de los votos en la primaria.

En las convenciones nacionales, cada partido adopta una **plataforma,** o programa de principios y objetivos. Los delegados del partido votan también por sus candidatos para la Presidencia y Vicepresidencia. Uno de los momentos más emotivos de toda convención es el **discurso principal,** en el que se exalta al partido y a sus dirigentes.

La idea PRINCIPAL

Cada cuatro años, los partidos políticos escogen oficialmente a sus candidatos presidenciales en las convenciones nacionales, que se celebran después de las primarias estatales y de las reuniones de comités electorales.

PREGUNTA DE REPASO

¿Cuál es la finalidad primordial de una elección primaria presidencial?

SECCIÓN 5 LAS ELECCIONES

RESUMEN DEL TEXTO

La idea PRINCIPAL

El día de las elecciones, los votantes escogen al próximo Presidente, pero dicha elección no es oficial hasta que los miembros del colegio electoral emiten sus votos.

La campaña presidencial finaliza el día de las elecciones, que se celebran cada cuatro años el primer martes que sigue al primer lunes de noviembre. Poco después, el colegio electoral elige al Presidente.

Cuando el **electorado,** es decir, los votantes, vota por un candidato a Presidente, en realidad está votando por los electores comprometidos a apoyar a un candidato en particular. En 48 estados, el candidato que más votos obtenga del electorado (votos populares) obtiene todos los votos electorales del estado. Maine y Nebraska utilizan un sistema de distritos para asignar los votos electorales.

El Congreso cuenta los votos electorales y declara al ganador. Si ninguno de los candidatos obtiene la mayoría de los votos, la Cámara de Representantes elige al Presidente.

El sistema del colegio electoral tiene tres problemas. En primer lugar, cabe la posibilidad de que el candidato que recibe mayor voto popular no logre acceder a la Presidencia. Si un candidato gana en un estado sólo por una corta mayoría, sigue llevándose todos los votos electorales de ese estado. Además, los votos electorales no están repartidos en proporción al número de habitantes del estado ni en función de la distribución de los votantes.

En segundo lugar, nada obliga a los electores de un estado a votar por el candidato que gana el voto popular del estado. En tercer lugar, existe la posibilidad de que un candidato importante de un tercer partido logre los suficientes votos como para impedir que ninguno de los candidatos gane por mayoría; esto hace que la decisión pase entonces a manos de la Cámara de Representantes.

Los reformistas han sugerido cuatro métodos para cambiar el sistema electoral: el **plan por distritos,** el **plan proporcional,** la **elección popular directa** y el **plan nacional de votos adicionales.**

PREGUNTA DE REPASO

¿Qué órgano elige oficialmente al Presidente de los Estados Unidos?

Nombre ____________________ Clase ____________ Fecha ________

CAPÍTULO 13 *Prueba*

IDENTIFICAR LAS IDEAS PRINCIPALES

Escribe la letra de la respuesta correcta en el espacio en blanco. (10 puntos cada una)

____ **1.** Cuando el Presidente elabora la agenda del Congreso, está desempeñando la función de

A. diplomático en jefe.
B. ejecutivo en jefe.
C. legislador en jefe.
D. comandante en jefe.

____ **2.** ¿En cuál de sus funciones actúa el Presidente como símbolo de los ciudadanos estadounidenses?

A. administrador en jefe
B. jefe de estado
C. diplomático en jefe
D. líder de su partido

____ **3.** Si quedaran vacantes tanto el puesto de Presidente como el de Vicepresidente, ¿quién sería el Presidente?

A. el Presidente de la Cámara de Representantes
B. el Secretario de Estado
C. el Secretario de Defensa
D. el presidente interino del Senado

____ **4.** ¿Quién pasaría a ser el Presidente en funciones si el Presidente perdiera las facultades para gobernar?

A. el Presidente de la Cámara de Representantes
B. el presidente interino del Senado
C. un candidato nombrado por el Presidente
D. el Vicepresidente

____ **5.** Cuando los ciudadanos votan para elegir al Presidente, en realidad están votando por _____ de su estado.

A. las primarias
B. los asambleas electorales del partido
C. los electores
D. el electorado

____ **6.** Si ningún candidato obtiene la mayoría de los votos electorales, el Presidente es elegido por

A. las dos cámaras del Congreso.
B. la Cámara de Representantes.
C. el Senado.
D. una nueva votación popular.

____ **7.** ¿Cuál es la finalidad de las primarias presidenciales?

A. ayudar a elegir a los delegados para las convenciones nacionales de los partidos
B. escoger a los miembros del colegio electoral
C. elegir a un nuevo Presidente y a un nuevo Vicepresidente
D. elegir a los funcionarios del estado

____ **8.** ¿Quién o qué determina las normas de las primarias de los diferentes estados?

A. el Partido Demócrata
B. un consenso entre los dos partidos políticos más importantes
C. la Constitución
D. las leyes de cada estado

____ **9.** Los votos del electorado se llaman

A. voto del colegio electoral.
B. voto directo.
C. voto popular.
D. voto primario.

____ **10.** Un inconveniente del sistema del colegio electoral es que

A. no concede suficiente representación a los estados pequeños.
B. el ganador del voto popular puede no acceder a la Presidencia.
C. designa con certeza al ganador de las elecciones presidenciales.
D. es inconstitucional.

La presidencia en acción

EL AUMENTO DEL PODER PRESIDENCIAL

RESUMEN DEL TEXTO

La idea PRINCIPAL

La Constitución instauró el cargo de Presidente, pero el debate sobre el alcance de los poderes asociados con dicho cargo se ha extendido a lo largo de toda la historia de la nación.

El **Artículo Ejecutivo** de la Constitución (Artículo II) le otorga al Presidente algunos poderes específicos, pero ofrece muy pocos detalles al respecto. El debate para determinar el alcance de estos poderes comenzó ya con los artífices de la Constitución, y todavía continúa en la actualidad.

Con el paso del tiempo, la presidencia ha adquirido mucho poder por diversas razones. En primer lugar, el Presidente es el principal exponente y cabeza visible del poder ejecutivo, mientras que el Congreso está compuesto por dos cámaras con más de 500 miembros. En segundo lugar, a medida que va complicándose la vida de los estadounidenses, los ciudadanos confían en que el Presidente oriente su destino en ámbitos como la economía y la salud pública. En tercer lugar, cuando sobrevienen emergencias nacionales, el Presidente ha tenido que actuar de forma decisiva desempeñando su función de comandante en jefe. En cuarto lugar, el Congreso ha aprobado gran cantidad de leyes que han ampliado las actividades del Gobierno Federal. Por falta de tiempo, el Congreso ha tenido que recurrir al poder ejecutivo para que éste decida cómo poner en práctica estas leyes. Además, el Presidente puede ahora captar la atención del público utilizando los **medios de comunicación** (televisión, radio, publicaciones impresas e Internet).

Ciertos presidentes han interpretado sus poderes con un criterio amplio, mientras que otros han defendido que el poder del Presidente debe ser limitado. Los detractores de la idea de que el Presidente cuente con amplios poderes han esgrimido el término **presidencia imperial** para comparar al Presidente con un emperador que toma decisiones importantes sin la aprobación ni del Congreso ni del pueblo.

PREGUNTA DE REPASO

¿Te parece negativo el concepto de una presidencia imperial? ¿Por qué?

EL PODER EJECUTIVO DEL PRESIDENTE

RESUMEN DEL TEXTO

El Presidente encabeza el poder ejecutivo y debe cumplir las provisiones que establece la ley federal. Para ello, cuenta con el poder que la Constitución le otorga, pero dicha autoridad deriva también de su **juramento de cargo,** es decir, la solemne promesa que formula todo presidente durante la toma de posesión de su cargo de "conservar, proteger y defender la Constitución". El poder ejecutivo del Presidente le ofrece un gran número de opciones a la hora de decidir cómo poner en práctica las leyes.

El Presidente ostenta el **poder de decretar,** es decir, la autoridad para emitir órdenes ejecutivas. Una **orden ejecutiva** es una directriz, norma o reglamento que tiene el mismo peso que una ley. La Constitución no le otorga este poder al Presidente de forma explícita, pero éste necesita poder emitir órdenes para hacer uso de sus poderes constitucionales. El Congreso respalda este poder implícito autorizando regularmente que el Presidente lo use.

Para poder contar con subordinados leales, el Presidente puede elegir a los funcionarios más importantes del poder o rama ejecutiva, como los líderes de los organismos ejecutivos, los diplomáticos, los miembros del Gabinete presidencial, los jueces federales y los altos cargos militares. El Senado debe aprobar estos nombramientos por mayoría. Según la norma de cortesía senatorial, los nombramientos de funcionarios estatales sólo son aprobados por el Senado si han sido previamente aprobados por el senador de dicho estado que pertenezca al partido del Presidente.

Únicamente el Presidente ostenta la autoridad para remover del cargo a funcionarios ejecutivos. Sin embargo, el Presidente no puede remover del cargo a jueces federales y, por lo general, sólo puede hacerlo con aquellos que él mismo haya nombrado.

La idea PRINCIPAL

El Presidente cuenta con una amplia autoridad para emitir órdenes, para decidir cómo poner en práctica las leyes y para nombrar a funcionarios federales.

PREGUNTA DE REPASO

¿Qué es una orden ejecutiva?

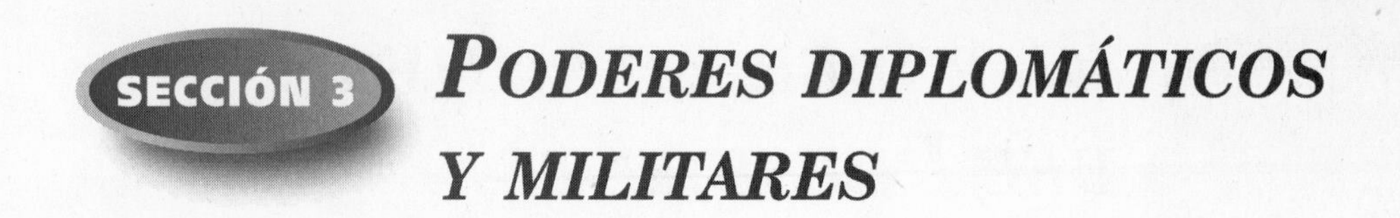

PODERES DIPLOMÁTICOS Y MILITARES

RESUMEN DEL TEXTO

La idea PRINCIPAL

Si bien el Presidente comparte con el Congreso diversos poderes diplomáticos y militares, en algunos ámbitos goza de una autoridad prácticamente ilimitada.

El Presidente es el encargado de los asuntos exteriores de los Estados Unidos. Tiene autoridad para firmar **tratados,** es decir, acuerdos formales con otras naciones que deben ser aprobados por dos tercios de los votos del Senado. No obstante, para no depender de la aprobación del Senado, el Presidente puede firmar un **acuerdo ejecutivo,** o un pacto con el jefe de estado de otro país.

El Presidente tiene también el poder de **reconocimiento,** que consiste en aceptar —y, por consecuencia, apoyar— la existencia de otra nación y gobierno a efectos legales. Generalmente, los países se reconocen mutuamente intercambiando representantes diplomáticos. Una nación puede manifestar su fuerte descontento con otra retirando a su propio embajador de ella y expulsando al embajador extranjero. El diplomático expulsado es calificado de **persona *non grata*,** es decir, que su presencia no es deseable.

La autoridad para declarar la guerra le corresponde al Congreso. Sin embargo, como comandante en jefe, el Presidente puede iniciar una guerra. En más de 200 ocasiones, el Presidente ha enviado tropas estadounidenses a luchar sin contar con la declaración de guerra del Congreso. Tras la nunca declarada guerra de Vietnam, el Congreso aprobó la Resolución de Poderes para la Guerra en 1973. Esta resolución tuvo por finalidad delimitar la capacidad del Presidente para iniciar conflictos bélicos. Estableció el plazo máximo de los conflictos en 60 días, al término de los cuales deben cesar las hostilidades si no se cuenta con la autorización del Congreso.

PREGUNTA DE REPASO

¿Qué significa que el Presidente reconozca a otra nación?

EL PODER LEGISLATIVO Y EL PODER JUDICIAL

RESUMEN DEL TEXTO

Mediante el uso de su poder legislativo, el Presidente puede comunicarle al Congreso qué leyes necesita la nación. El Presidente propone ciertas leyes en su discurso anual sobre el Estado de la Unión, y otras en un plan presupuestario y en un informe sobre la economía que presenta anualmente.

Una vez que el Congreso aprueba un proyecto de ley, el Presidente dispone de diez días para pronunciarse al respecto. Puede firmar el proyecto de ley y convertirlo en ley, dejar que pase a ser ley sin firmarlo, vetarlo o rechazarlo mediante el veto de hecho si no lo firma antes de que se le-vante la sesión del Congreso. Además, entre 1996 y 1998 el Presidente dispuso de la autoridad para utilizar el **veto de partidas presupuestarias** con los proyectos de ley sobre gastos e impuestos. Mediante este tipo de veto, el Presidente pudo aprobar la mayor parte de un proyecto de ley al tiempo que vetó ciertas otras secciones llamadas partidas presupuestarias.

La Constitución también le confiere al Presidente determinados poderes judiciales. Tiene autoridad para conceder "aplazamientos e indultos por delitos contra los Estados Unidos, excepto en casos de acusaciones formuladas contra altos funcionarios por un mal desempeño en sus funciones". Un **aplazamiento** consiste en dejar para más adelante la ejecución de una condena. Un **indulto** es un perdón legal por un delito. La autoridad para conceder indultos engloba también la capacidad para conmutar penas y para amnistiar. **Conmutar** una pena consiste en reducir la duración de una condena o la cantidad de la multa impuesta por una corte. **Amnistiar** consiste en perdonar colectivamente a un grupo de personas que ha infringido una ley. Este poder de conceder **clemencia** o indulgencia puede utilizarse solamente con los delitos federales.

La idea PRINCIPAL

Como parte del sistema de pesos y contrapesos, la Constitución le otorga al Presidente poderes legislativos y judiciales importantes.

PREGUNTA DE REPASO

¿Qué significa "clemencia"?

Nombre ______________________ Clase ______________ Fecha ________

CAPÍTULO 14 *Prueba*

IDENTIFICAR LAS IDEAS PRINCIPALES

Escribe la letra de la respuesta correcta en el espacio en blanco. (10 puntos cada una)

____ **1.** Los poderes específicos del Presidente proceden

A. de las fuerzas armadas.
B. de la Corte Suprema.
C. del Congreso.
D. de la Constitución.

____ **2.** La *presidencia imperial* consiste en

A. utilizar los poderes de la presidencia sin la aprobación del Congreso.
B. el poder que tiene el Presidente como comandante en jefe.
C. el poder que tiene el Presidente para reconocer a otras naciones.
D. el poder que tiene el Presidente para imponer leyes en la nación.

____ **3.** ¿Qué factor no ha contribuido al aumento del poder presidencial?

A. la capacidad del Presidente para emprender acciones militares
B. el poder de conceder clemencia
C. la capacidad del Presidente para utilizar los medios de difusión
D. la posición del Presidente como ejecutivo en jefe

____ **4.** ¿Qué es el poder de decretar del Presidente?

A. la capacidad de enviar tropas estadounidenses para el combate
B. el poder para emitir órdenes ejecutivas
C. el poder para firmar tratados
D. el poder para indultar a alguien que haya cometido un delito federal

____ **5.** La costumbre que le otorga al Senado un cierto control sobre el poder del Presidente para nombrar funcionarios se llama

A. poder de destruir.
B. conmutación.
C. persona *non grata.*
D. cortesía senatorial.

____ **6.** Cuando el Presidente reconoce a una nación, normalmente

A. envía a dicha nación un representante diplomático.
B. la declara *non grata.*
C. le declara la guerra.
D. experimenta un fuerte rechazo hacia el gobierno de dicha nación.

____ **7.** El plazo para mantener en combate a tropas estadounidenses sin la aprobación del Congreso es de

A. 48 horas.
B. 30 días.
C. 60 días.
D. 6 meses.

____ **8.** ¿Para qué tipo de proyectos usó el Presidente el veto de partidas presupuestarias?

A. todo tipo de proyectos
B. proyectos aprobados mediante la anulación del veto por parte del Congreso
C. proyectos sobre gastos e impuestos
D. proyectos sobre asuntos militares

____ **9.** El poder presidencial de conmutación le permite al Presidente

A. nombrar a funcionarios.
B. acortar condenas de cárcel.
C. usar las fuerzas armadas para la paz.
D. vetar proyectos de ley.

____ **10.** El poder de conceder clemencia del Presidente sólo se aplica en

A. casos criminales.
B. casos de índole militar.
C. casos de acusaciones contra funcionarios.
D. casos federales.

El gobierno en acción: la burocracia

LA BUROCRACIA FEDERAL

RESUMEN DEL TEXTO

La **burocracia** es una estructura grande y compleja que administra los negocios cotidianos de una organización. Está fundamentada en tres principios. En primer lugar, tiene una estructura jerárquica, es decir, unos cuantos altos cargos y oficinas tienen autoridad sobre un gran número de administradores quienes, a su vez, supervisan a muchos otros empleados. En segundo lugar, cada **burócrata,** es decir, alguien que trabaja para la organización, tiene una función específica. En tercer lugar, la burocracia funciona según una serie de reglas formalizadas.

La burocracia federal está formada por todas las agencias, personas y procedimientos mediante los cuales opera el Gobierno Federal. El Presidente es el administrador en jefe. Su **administración** está compuesta por las muchas agencias y administradores del gobierno. El brazo ejecutivo está integrado por tres grupos de agencias: la Oficina Ejecutiva del Presidente, los 14 departamentos del Gabinete y muchas agencias independientes.

Las unidades de la burocracia tiene diversos nombres. Los departamentos son oficinas al nivel del Gabinete. Las agencias y administraciones están casi al mismo nivel del Gabinete y están supervisadas por un administrador. Las comisiones regulan las actividades económicas y pueden aconsejar o investigar otros asuntos. Las autoridades y corporaciones llevan a cabo actividades parecidas a las de una empresa, bajo el mando de una junta y de un gerente.

Cada organización administrativa está compuesta por uno de dos tipos de oficina. Las **agencias de personal** ofrecen apoyo a otros empleados, mientras que las **agencias de operaciones** realizan las tareas de organización.

La idea PRINCIPAL

La burocracia federal, que forma parte de la rama ejecutiva, lleva a cabo la mayor parte de las tareas cotidianas del Gobierno Federal.

PREGUNTA DE REPASO

¿Qué componentes forman la burocracia federal?

SECCIÓN 2 *LA OFICINA EJECUTIVA DEL PRESIDENTE*

RESUMEN DEL TEXTO

La **Oficina Ejecutiva del Presidente** es una compleja organización de agencias integrada por la mayoría de los asesores y asistentes más próximos al Presidente.

La Oficina de la Casa Blanca es el centro neurálgico de la Oficina Ejecutiva del Presidente. Está compuesta por el jefe de personal del Presidente, quien dirige las operaciones de la Casa Blanca, y otros miembros importantes del círculo interno del Presidente.

La idea PRINCIPAL

La Oficina Ejecutiva del Presidente está compuesta por una serie de asesores y agencias que colaboran estrechamente con el Presidente.

Como parte de la Oficina Ejecutiva del Presidente, el Consejo de Seguridad Nacional asesora al Presidente en todos los asuntos relacionados con la seguridad de la nación, y está encabezado por éste.

La mayor oficina que forma parte de la Oficina Ejecutiva del Presidente es la Oficina de Administración y Presupuestos, encargada de preparar el **presupuesto federal.** Un presupuesto es una estimación detallada del dinero que va a recibir y gastar el Gobierno Federal durante el siguiente **año fiscal.** Un año fiscal es el periodo de 12 meses que utilizan el gobierno y las empresas al administrar sus finanzas. El año fiscal del Gobierno Federal comienza el 1 de octubre.

La Oficina Ejecutiva del Presidente está formada también por otras agencias, como la Oficina Nacional de Control de Drogas, que supervisa las acciones federales para combatir el tráfico de drogas. El Consejo de Asesores Económicos está integrado por tres de los principales economistas de la nación. Otras unidades de la Oficina Ejecutiva del Presidente se ocupan directamente de **asuntos domésticos,** que son los que afectan únicamente a los Estados Unidos.

PREGUNTA DE REPASO

¿Quién es el director de operaciones de la Casa Blanca?

SECCIÓN 3

LOS DEPARTAMENTOS EJECUTIVOS

RESUMEN DEL TEXTO

Gran parte del trabajo que lleva a cabo el Gobierno Federal lo realizan los 14 **departamentos ejecutivos,** que son las oficinas tradicionales de administración federal, que suelen denominarse también departamentos del Gabinete. El Gabinete es una junta asesora informal que crea el Presidente de acuerdo con sus necesidades. Éste está compuesto por los máximos responsables de cada uno de los departamentos ejecutivos y por otros altos cargos.

Cada máximo responsable de un departamento se llama **secretario,** a excepción del más alto cargo del Departamento de Justicia, que es el **procurador general.** Estos dirigentes actúan como nexos entre el Presidente y las suboficinas de sus propios departamentos. El Presidente escoge al máximo responsable de cada departamento, pero estas nominaciones deben ser aprobadas por el Senado.

Hoy en día, los departamentos ejecutivos varían en cuanto a su visibilidad, importancia y tamaño. El Departamento de Estado es el más veterano y el más prestigioso de todos los departamentos. El Departamento de Defensa es el de mayor tamaño. El Departamento de Salud y Servicios Humanos es el que cuenta con el presupuesto más voluminoso, y el Departamento de Asuntos de los Veteranos de Guerra es el de más reciente creación. Los otros departamentos son los del Tesoro, de Justicia, del Interior, de Agricultura, de Comercio, de Trabajo, de Vivienda y Desarrollo Urbano, de Transporte, de Energía y de Educación.

La idea PRINCIPAL

Catorce departamentos ejecutivos, cada uno de ellos encabezado por un miembro del Gabinete, llevan a cabo la mayor parte del trabajo del Gobierno Federal.

PREGUNTA DE REPASO

¿Cuál es la función del máximo responsable de un departamento ejecutivo?

SECCIÓN 4

LAS AGENCIAS INDEPENDIENTES

RESUMEN DEL TEXTO

Desde la década de 1880, el Congreso ha creado una gran cantidad de **agencias independientes,** que funcionan al margen de los departamentos ejecutivos. Estas agencias existen por diversos motivos. Algunas no encajarían bien en ninguno de los departamentos. Otras necesitan ser protegidas de las interacciones dentro de los departamentos, y otras deben ser independientes dada la naturaleza de sus funciones.

La idea **PRINCIPAL**

Varias agencias independientes funcionan al margen del poder ejecutivo.

En la actualidad existen tres tipos de agencias independientes. La mayoría son **agencias ejecutivas independientes.** Están organizadas de forma muy similar a los departamentos ejecutivos, con suboficinas y un solo máximo responsable, pero no están al mismo nivel del Gabinete.

Las agencias independientes que regulan partes diferentes de la economía se llaman **comisiones reguladoras independientes.** Curiosamente, se encuentran al margen del control del Presidente y son **cuasi legislativas** y **cuasi judiciales.** Esto significa que el Congreso les concede ciertos poderes de índole legislativa y judicial. A nivel legislativo, pueden elaborar las normas que hacen más específicas ciertas leyes que el Congreso les ha solicitado aplicar; estas normas tienen el mismo peso que una ley. A nivel judicial, pueden resolver disputas en determinadas áreas en que el Congreso les ha otorgado autoridad supervisora.

Algunas agencias independientes se denominan **corporaciones gubernamentales.** Estas agencias, como el Servicio Postal Estadounidense, llevan a cabo determinadas tareas como si fueran empresas.

PREGUNTA DE REPASO

¿Qué define una agencia independiente?

SECCIÓN 5

LOS FUNCIONARIOS PÚBLICOS

RESUMEN DEL TEXTO

El cuerpo de **funcionarios públicos** es el grupo de empleados públicos que lleva a cabo las tareas administrativas del gobierno al margen de las fuerzas armadas. Algunos de los primeros presidentes les concedieron puestos en el gobierno a sus seguidores o a sus amigos; a esta práctica se la llama **favoritismo.** A la práctica de otorgar puestos gubernamentales y favores como recompensas políticas se la llama **tráfico de influencias.**

El tráfico de influencias trae como consecuencia la ineficiencia y la corrupción. Los intentos por erradicar esta práctica comenzaron en 1881, cuando un desilusionado candidato a un cargo público asesinó al presidente James Garfield. El Congreso no tardó en aprobar la Ley de Funcionarios Públicos de 1883, también llamada Ley de Pendleton, que sentó las bases del sistema actual para contratar a los funcionarios públicos federales. Su principal objetivo fue lograr que sólo se pudiera acceder a cargos federales en función de los méritos del candidato.

Hoy en día, la mayor parte de los empleados federales son contratados tras un proceso competitivo. Sus sueldos y ascensos están basados también en las evaluaciones escritas que les hacen sus superiores. La Oficina de Administración de Personal, una agencia independiente, es la encargada de examinar y contratar a la mayoría de los empleados federales. Tiene una serie de **registros,** o listas de solicitantes calificados. Otra agencia independiente, la Junta de Protección de Sistemas Basados en el Mérito, defiende el sistema de méritos dentro de la burocracia federal. Es **bipartidista,** es decir, está formada por afiliados a los dos partidos políticos mayoritarios.

Los funcionarios públicos deben cumplir con ciertas normas que restringen sus actividades políticas. Por ejemplo, los funcionarios civiles pueden ser miembros activos de un partido político, pero no pueden presentarse como candidatos en las elecciones internas de su partido.

La idea PRINCIPAL

La mayor parte de las personas que trabajan para el Gobierno Federal son funcionarios públicos, contratados y ascendidos de puesto en función de su desempeño en el cargo que ocupan.

PREGUNTA DE REPASO

¿Qué define a los funcionarios públicos?

Nombre ______________________ Clase ______________ Fecha ________

CAPÍTULO 15 Prueba

IDENTIFICAR LAS IDEAS PRINCIPALES

Escribe la letra de la respuesta correcta en el espacio en blanco. (10 puntos cada una)

____ **1.** La burocracia federal

A. está integrada por todas las agencias, personas y procedimientos mediante los cuales opera el Gobierno Federal.
B. tiene una estructura jerárquica.
C. está encabezada por el Presidente.
D. Todas las respuestas anteriores son correctas.

____ **2.** Las unidades que están al nivel del Gabinete se denominan

A. agencias.
B. departamentos.
C. comisiones.
D. administraciones.

____ **3.** Una agencia de personal

A. apoya a otros empleados.
B. lleva a cabo diferentes programas.
C. regula las empresas.
D. lleva a cabo tareas como si fuera una empresa.

____ **4.** El centro neurálgico de la Oficina Ejecutiva del Presidente es

A. la Oficina de Administración y Presupuestos.
B. la Oficina Nacional de Control de Drogas.
C. la Oficina de la Casa Blanca.
D. el Consejo de Asesores Económicos.

____ **5.** La tarea del Consejo de Seguridad Nacional consiste en

A. asesorar al Presidente sobre el comercio internacional.
B. preparar el presupuesto federal.
C. supervisar a los funcionarios públicos.
D. asesorar al Presidente sobre la seguridad de la nación.

____ **6.** ¿Cuál es el cargo que ostenta el máximo responsable del Departamento de Justicia?

A. secretario
B. juez presidente
C. procurador general
D. jefe burocrático

____ **7.** ¿Cuántos departamentos del Gabinete hay?

A. 14
B. 25
C. 100
D. 150

____ **8.** Las comisiones reguladoras independientes

A. supervisan a los empleados federales.
B. tienen ciertos poderes cuasi legislativos y cuasi judiciales.
C. atienden a los empleados federales.
D. pueden parecer empresas.

____ **9.** Tras el asesinato del presidente James Garfield, el gobierno introdujo a hacer reformas en

A. varios departamentos del Gabinete.
B. el sistema para contratar funcionarios públicos.
C. la Constitución.
D. el poder ejecutivo.

____ **10.** Los funcionarios públicos no pueden

A. votar.
B. pertenecer a un partido político.
C. ascender de cargo.
D. presentarse como candidatos en las elecciones internas de su partido.

La financiación del gobierno

RESUMEN DEL TEXTO

La Constitución le confiere al Congreso autoridad para recaudar impuestos, aunque le impone ciertas restricciones. El Congreso debe recaudar los impuestos cumpliendo con todos los artículos de la Constitución. Puede fijar impuestos únicamente para fines públicos, y en ningún caso sobre las exportaciones. Los impuestos directos, exceptuando el impuesto sobre la renta, deben fijarse en función de la población de cada estado. Las tasas de impuestos indirectos deben ser las mismas en toda la nación. El Congreso tiene prohibido crear impuestos por funciones gubernamentales de un estado o de sus gobiernos locales.

Los estadounidenses pagan en la actualidad diversos tipos de impuestos federales. La fuente más importante de ingresos federales, el impuesto sobre la renta, se calcula según las ganancias anuales de cada persona. Se trata de un **impuesto progresivo,** lo cual quiere decir que cuanto mayores son los ingresos, mayor es el impuesto a pagar. Todo aquel que gana dinero en los Estados Unidos debe presentar anualmente su **declaración de la renta,** un formulario que indica el valor del impuesto sobre la renta que debe pagar. Las empresas también pagan este impuesto.

Los impuestos de seguro social financian tres programas: el seguro para la jubilación, de supervivientes y por incapacidad, que se denominan en conjunto Seguro Social, *Medicare* que se ocupa de los cuidados médicos para las personas mayores; y la compensación por desempleo. Estos impuestos se pagan como **impuestos sobre la nómina,** que los empresarios retienen de los sueldos y envían al gobierno. Los impuestos de seguro social son **impuestos regresivos,** es decir, su tasa es igual para todos.

El Congreso impone un **impuesto interno** sobre la fabricación, venta y uso de ciertos bienes y servicios. Los beneficiarios de quienes hayan fallecido deben pagar un **impuesto sucesorio** sobre los bienes que heredan. Los regalos de más de $10,000 en un año están sujetos también a un **impuesto sobre donaciones y legados.** El **arancel de aduanas** es el impuesto sobre la mercancía que llega a los Estados Unidos procedente de otro país.

La idea PRINCIPAL

La Constitución le otorga al Congreso amplios poderes para establecer impuestos federales, que en la actualidad se recaudan en su mayor parte como impuesto sobre la renta.

PREGUNTA DE REPASO

¿Por qué el impuesto sobre la renta es progresivo?

LOS PRÉSTAMOS Y LOS INGRESOS QUE NO SE DERIVAN DE LOS IMPUESTOS

RESUMEN DEL TEXTO

La idea **PRINCIPAL**

Los Estados Unidos han acumulado una deuda pública enorme, fruto de los préstamos adquiridos al gastar el gobierno más de lo que ingresa.

El Gobierno Federal ingresa grandes cantidades de dinero procedentes de múltiples fuentes que no son impositivas. Gran parte de este dinero proviene de lo que gana el Sistema de la Reserva Federal, principalmente derivado de los intereses. El **interés** es lo que se paga cuando se toma prestado dinero y suele ser un porcentaje de la cantidad que se ha solicitado en préstamo. Las cuotas que se aplican por reservar los derechos de propiedad intelectual y registrar la marcas comerciales también contribuyen a las arcas del gobierno.

La Constitución le otorga al Congreso la autoridad para permitir que el Gobierno Federal tome dinero prestado. El gobierno realiza esto con intereses inferiores a los que pagan los consumidores privados, y no hay ningún límite en la cantidad de dinero que puede solicitar.

Entre los años 1929 y 1968, estos privilegios le permitieron al Gobierno Federal tomar prestado regularmente más dinero del que ingresaba. Este fenómeno generó lo que se llama **déficit.** Cuando el gobierno ingresa más de lo que gasta, se dice que obtiene un **superávit.** Entre 1969 y 1998, ninguno de los presupuestos federales anuales tuvo superávit.

El interés anual de la deuda federal es la cantidad que debe pagarse cada año a quienes le han prestado dinero al gobierno. Todos los déficits anteriores que todavía están por pagarse, además de los intereses que han generado, suman lo que se denomina la **deuda pública,** es decir, la cantidad total de dinero que debe un gobierno. La deuda es motivo de preocupación, ya que representa una amenaza contra la futura estabilidad de una nación.

PREGUNTA DE REPASO

¿Cuál es la diferencia entre el déficit y la deuda pública?

SECCIÓN 3

EL GASTO Y EL PRESUPUESTO

RESUMEN DEL TEXTO

El principal gasto del gobierno es en **asistencia social por derecho.** Son los pagos del gobierno a aquellas personas que tienen derecho a recibirlos según la ley federal. El Seguro Social (seguro para la jubilación, de supervivientes y por incapacidad) es el mayor programa de asistencia social. Le siguen en volumen de gastos el pago de la deuda pública y la defensa nacional.

La asistencia social forma parte de los **gastos inajustables** del gobierno, es decir, pagos que el gobierno está obligado a hacer por ley todos los años. Los **gastos ajustables** son los que pueden variar cada año, como el que se asigna para la protección del medio ambiente o para la educación.

El presupuesto es el plan anual de gastos que tiene el Gobierno Federal. El Presidente y la Oficina de Administración y Presupuestos planifican el presupuesto y se lo pasan al Congreso. Allí pasa a manos de los comités de asignación presupuestaria de cada cámara.

Una vez finaliza el proceso de revisión del presupuesto, el Congreso aprueba una resolución presupuestaria que fija ciertos límites en los gastos de todas las agencias federales para el año siguiente. A continuación, el Congreso aprueba trece proyectos de asignación presupuestaria correspondientes al año, que el Presidente debe firmar. Si la totalidad de estos trece proyectos no ha sido aprobada antes del 1 de octubre, que es la fecha de comienzo del año fiscal (o presupuestario), el Congreso debe aprobar una **resolución de aplazamiento.** Dicha resolución permite que las agencias afectadas sigan funcionando hasta que se aprueben los nuevos proyectos de asignación presupuestaria.

La idea PRINCIPAL

El proceso de elaboración del presupuesto de cada año es una tarea conjunta del Presidente y de ambas cámaras del Congreso.

PREGUNTA DE REPASO

¿En qué se diferencia el gasto ajustable del gasto inajustable?

Nombre ______________________________ Clase ____________________ Fecha ________

CAPÍTULO 16 Prueba

IDENTIFICAR LAS IDEAS PRINCIPALES

Escribe la letra de la respuesta correcta en el espacio en blanco. (10 puntos cada una)

____ **1.** ¿Qué parte del Gobierno Federal tiene autoridad para recaudar impuestos?

A. el Presidente
B. el Congreso
C. la Oficina de Administración y Presupuestos
D. el Departamento del Tesoro

____ **2.** Un impuesto progresivo

A. es igual para todos los contribuyentes.
B. aumenta todos los años al añadírsele un interés.
C. es más elevado en algunas zonas del país que en otras.
D. aumenta en función de los ingresos.

____ **3.** ¿Qué es una declaración de la renta?

A. un formulario que indica la cantidad de impuestos que alguien debe pagar
B. dinero que se les retiene a los trabajadores para impuestos
C. un impuesto que paga una persona distinta a quien se le aplica
D. dinero devuelto a los contribuyentes que han pagado de más

____ **4.** El arancel de aduanas es un impuesto que se aplica a

A. la fabricación, venta y uso de ciertos productos.
B. los bienes de un difunto.
C. bienes que llegan al país procedentes de otra nación.
D. un regalo de más de $10,000.

____ **5.** El déficit es

A. el dinero que se paga por usar un préstamo.
B. la cantidad que el gobierno gasta por encima de lo que ingresa.
C. un plan de ingresos y gastos.
D. dinero del presupuesto general que no se ha gastado.

____ **6.** ¿Qué es la deuda pública?

A. dinero que se toma prestado
B. la cantidad que el gobierno gasta por encima de lo que ingresa
C. la cantidad total de dinero que se debe en impuestos sobre la renta
D. la cantidad total de dinero que debe el Gobierno Federal

____ **7.** En la actualidad, el gasto principal del gobierno federal está destinado a

A. la asistencia social.
B. el interés de la deuda pública.
C. la educación.
D. la defensa nacional.

____ **8.** La Oficina de Administración y Presupuestos participa en la elaboración del presupuesto

A. aportándole al Congreso datos financieros.
B. manteniendo el gobierno en funcionamiento cuando el Congreso no aprueba una asignación presupuestaria.
C. colaborando con el Presidente.
D. elaborando un presupuesto sin el Presidente ni el Congreso.

____ **9.** Una asignación presupuestaria es

A. un gasto que contribuye al déficit.
B. un tipo de proyecto de ley.
C. un impuesto progresivo.
D. la asistencia social.

____ **10.** Una resolución de aplazamiento

A. prepara el presupuesto del año siguiente.
B. es una medida que afecta el presupuesto año tras año.
C. permite a las agencias federales funcionar sin asignaciones presupuestarias.
D. se aprueba en una de las cámaras del Congreso y luego en la otra.

La política exterior y la defensa nacional

LOS ASUNTOS EXTERIORES Y LA SEGURIDAD NACIONAL

RESUMEN DEL TEXTO

Por más de 150 años, los estadounidenses se han interesado principalmente por sus **asuntos domésticos,** es decir, lo que acontece en este país, y no en los **asuntos exteriores,** que se refieren a los acontecimientos relacionados con otras naciones. Durante dicho periodo, los Estados Unidos llevaron a cabo una política de **aislacionismo** que consistía en negarse a intervenir en asuntos extranjeros. Sin embargo, la Segunda Guerra Mundial convenció a los estadounidenses de que el bienestar de su país dependía de su participación en los asuntos del ámbito mundial.

La **política exterior** se refiere a las relaciones de una nación con otros países en todo aspecto, ya sea militar, diplomático, comercial o de cualquier otra índole. El Presidente es el principal encargado de elaborar y poner en práctica la política exterior estadounidense.

El Departamento de Estado, encabezado por el Secretario de Estado, es el brazo derecho del Presidente en asuntos internacionales. La ley internacional confiere a todas las naciones el **derecho de legación,** por el cual los países tienen derecho a enviar y recibir representantes diplomáticos. El Presidente nombra a los **embajadores,** que representan al país y dirigen una embajada en una nación que haya sido reconocida por los Estados Unidos. Tanto los embajadores como otros funcionarios diplomáticos gozan de **inmunidad diplomática,** es decir, que no pueden ser procesados por violar las leyes del país que los acoge.

El Departamento de Defensa es el encargado de defender la nación centralizando la administración de las fuerzas armadas. El Secretario de Defensa es quien dirige el Departamento de Defensa y asesora al Presidente. Los cinco miembros de la Junta de Jefes de Estado Mayor son los principales asesores del Secretario de Estado en asuntos militares. Los tres departamentos militares (el Ejército, la Marina y la Fuerza Aérea) son unidades más importantes del Departamento de Defensa.

> **La idea PRINCIPAL**
>
> **El Departamento de Estado y el Departamento de Defensa ayudan al Presidente a elaborar y poner en práctica la política exterior de la nación.**

PREGUNTA DE REPASO

¿Qué acontecimiento llevó a los Estados Unidos a darse cuenta de que deben intervenir en los asuntos internacionales?

OTRAS AGENCIAS DE ASUNTOS EXTERIORES Y DE DEFENSA

RESUMEN DEL TEXTO

La idea PRINCIPAL

Varias agencias gubernamentales participan estrechamente en la política exterior y de defensa.

Además de los Departamentos de Estado y de Defensa, existen otras agencias gubernamentales que participan estrechamente en la política exterior y de defensa de los Estados Unidos. La Agencia Central de Inteligencia (CIA, por sus siglas en inglés) cumple tres funciones fundamentales. En primer lugar, coordina las actividades de recopilación de información de las agencias estatales, de defensa y de otras agencias federales que participan tanto en los asuntos internacionales como de defensa. En segundo lugar, es el organismo encargado de analizar dicha información. En tercer lugar, mantiene informados al Presidente y al Consejo de Seguridad Nacional sobre asuntos de inteligencia. La CIA se ocupa también de llevar a cabo operaciones de inteligencia por todo el mundo mediante el **espionaje.**

El Servicio de Inmigración y Naturalización (INS, por sus siglas en inglés) es el encargado de hacer cumplir las leyes y los requisitos en materia de inmigración. También administra los distintos beneficios que se otorgan a los inmigrantes, como los permisos de trabajo, la ciudadanía y el **asilo político,** que es la acogida que se concede a las personas que son perseguidas en sus países de origen.

La Administración Nacional de Aeronáutica y del Espacio (NASA, por sus siglas en inglés) es una agencia independiente creada por el Congreso para supervisar los programas espaciales estadounidenses. La misión de la NASA comprende desde la exploración del espacio exterior y la construcción de estaciones espaciales hasta la investigación de los orígenes y la estructura del universo.

El Sistema de Servicio Selectivo gestiona la **conscripción**, que es el servicio militar obligatorio. La primera conscripción a nivel nacional tuvo lugar en 1917, cuando la Ley de Servicio Selectivo llamó a filas a los soldados que lucharon en la Primera Guerra Mundial. Entre 1940 y 1973, la conscripción jugó un papel importante a la hora de reclutar las tropas militares estadounidenses. Aunque la conscripción dejó de existir en 1973, los jóvenes varones todavía deben inscribirse en los archivos militares poco antes de cumplir los 18 años.

PREGUNTA DE REPASO

¿En qué forma sigue existiendo la conscripción actualmente?

La política exterior estadounidense: perspectiva general

RESUMEN DEL TEXTO

Durante los primeros 150 años, la política exterior de los Estados Unidos se basó en el aislacionismo. En 1823, la Doctrina de Monroe promulgó que los Estados Unidos no intervinieran en los asuntos europeos y que las naciones europeas debían mantenerse al margen de los asuntos norte y sudamericanos.

No obstante, los Estados Unidos fue un país activo en el hemisferio occidental. En el siglo XIX comenzó a expandir sus fronteras. Al ganar la guerra contra España de 1898, anexionó varios territorios coloniales y comenzó a desempeñarse como una potencia mundial.

A principios del siglo XX, los Estados Unidos comenzaron a establecer relaciones internacionales con otras naciones, como la China. La Segunda Guerra Mundial puso fin al aislacionismo estadounidense. La mayor parte de las naciones en ese momento recurrieron al principio de la **seguridad colectiva,** en virtud del cual acordaron intervenir conjuntamente contra cualquier nación que pusiera en peligro la paz. Los Estados Unidos adoptaron una política de **disuasión** que consistió en acumular poderío militar como método para desalentar cualquier ataque. Esta política comenzó con la **guerra fría,** que duró más de 40 años, periodo durante el cual los Estados Unidos y la Unión Soviética mantuvieron relaciones hostiles.

Durante la guerra fría, los Estados Unidos llevaron a cabo una política de **contención,** según la cual, si el comunismo podía contenerse dentro de sus propias fronteras, acabaría por derrumbarse bajo el peso de sus carencias internas. Cuando los Estados Unidos se retiraron de la Guerra de Vietnam, implantaron una política de **distensión,** es decir, comenzaron a mejorar las relaciones con la Unión Soviética y con la China.

El fin de la guerra fría comenzó con la llegada al poder de Mikhail Gorbachev en la Unión Soviética. Las relaciones entre los Estados Unidos y la Unión Soviética habían mejorado considerablemente en el momento en que se produjo el colapso de la Unión Soviética en 1991. A partir de entonces, una serie de acontecimientos importantes en el Medio Oriente han influido en la política exterior estadounidense.

La idea PRINCIPAL

Aunque los Estados Unidos comenzaron defendiendo una política de aislacionismo, con el tiempo han llegado a liderar los asuntos internacionales.

PREGUNTA DE REPASO

¿Qué objetivo perseguía la política de disuasión?

LA AYUDA A PAÍSES EXTRANJEROS Y LAS ALIANZAS DE DEFENSA

RESUMEN DEL TEXTO

La idea PRINCIPAL

Los Estados Unidos colaboran con otras naciones para garantizar la paz y la estabilidad política en todo el planeta.

Por más de 50 años, la **ayuda a países extranjeros** de tipo económico y militar ha sido una importante herramienta en la política exterior estadounidense. Esta ayuda se destina a aquellos países que son más importantes para los objetivos de la política exterior estadounidense. En los últimos años han sido Israel, las Filipinas y ciertas naciones latinoamericanas. La mayor parte de la ayuda económica debe utilizarse para comprar bienes y servicios estadounidenses. De esta manera, dicho programa beneficia también a la economía nacional.

A partir de la Segunda Guerra Mundial, los Estados Unidos han elaborado una red de **alianzas regionales para la seguridad,** que son una serie de pactos de colaboración entre los Estados Unidos y otras naciones con el fin de afrontar juntos las agresiones que surjan en una zona determinada del planeta. Por ejemplo, la Organización para el Tratado del Atlántico Norte (OTAN) tiene como objetivo la defensa colectiva de Europa Occidental. En otras zonas, como el Oriente Medio, no existen este tipo de alianzas debido a los intereses incompatibles de los Estados Unidos, que han defendido históricamente a Israel mientras que al mismo tiempo dependen del petróleo de las naciones árabes.

La primera ocasión en que los Estados Unidos mostraron su voluntad de intervenir como potencia mundial fue cuando, tras la Segunda Guerra Mundial, encabezaron la iniciativa mediante la cual 50 naciones fundaron la Organización de las Naciones Unidas (ONU). El objetivo de la ONU consiste en lograr la paz a nivel mundial. La ONU auspicia también diversos programas de índole económica y social, contribuye a mejorar la salud en todo el planeta y a proteger el medio ambiente, a la vez que defiende los derechos humanos. Está compuesta por seis organizaciones principales: la Asamblea General, el Consejo de Seguridad, el Consejo de Asuntos Económicos y Sociales, el Consejo de Administración Fiduciaria, el Tribunal Internacional de Justicia y la Secretaría. El **Consejo de Seguridad de la ONU** se ocupa de la principal responsabilidad de la organización: mantener la paz a nivel global.

PREGUNTA DE REPASO

¿Cuál es la finalidad de una alianza regional para la seguridad?

Nombre ______________________________ Clase __________________ Fecha ________

CAPÍTULO 17 *Prueba*

IDENTIFICAR LAS IDEAS PRINCIPALES

Escribe la letra de la respuesta correcta en el espacio en blanco. (10 puntos cada una)

____ **1.** Tras la Segunda Guerra Mundial, los Estados Unidos

A. pasaron de desempeñar un papel internacional hegemónico a un papel aislacionista.
B. pasaron de las alianzas para la seguridad a las alianzas políticas.
C. pasaron de una actitud aislacionista a una actitud internacional.
D. formaron la Liga de Naciones.

____ **2.** Entre las herramientas de la política exterior estadounidense no se encuentra

A. la recaudación de impuestos.
B. la formación de alianzas.
C. la ayuda económica y militar a otros países.
D. el poder de determinar qué países forman parte de la ONU.

____ **3.** ¿Qué organismo o cargo desempeña un papel fundamental en la elaboración de la política militar estadounidense?

A. la Agencia Central de Inteligencia
B. la Junta de Jefes de Estado Mayor
C. el Secretario de Estado
D. los embajadores y otros diplomáticos

____ **4.** Entre los organismos que desempeñan un papel fundamental en la política exterior no se encuentra

A. la Administración Nacional de Aeronáutica y del Espacio.
B. el Sistema de Servicio Selectivo.
C. el Departamento de Comercio.
D. la Agencia Central de Inteligencia.

____ **5.** Del asilo político se encarga

A. el Servicio Selectivo.
B. la Agencia Central de Inteligencia.
C. el Departamento de Defensa.
D. el Servicio de Inmigración y Naturalización.

____ **6.** Los Estados Unidos comenzaron su actuación como potencia mundial después de la

A. Segunda Guerra Mundial.
B. Guerra contra España de 1898.
C. Guerra de la Independencia Estadounidense.
D. Primera Guerra Mundial.

____ **7.** Se produjo un periodo de distensión

A. cuando los Estados Unidos ganaron la Segunda Guerra Mundial.
B. al comienzo del siglo XIX.
C. al comienzo del siglo XX.
D. cuando los Estados Unidos se retiraron de la Guerra de Vietnam.

____ **8.** El mandatario que más influyó para que finalizara la guerra fría fue

A. Mikhail Gorbachev.
B. Bill Clinton.
C. George Bush.
D. Boris Yeltsin.

____ **9.** La OTAN es una alianza regional para la seguridad encargada de defender

A. Europa Occidental.
B. el Medio Oriente.
C. las Filipinas.
D. Latinoamérica.

____ **10.** La organización internacional que tiene por objetivo el mantener la paz en todo el mundo es

A. la Liga de Naciones.
B. la Organización de las Naciones Unidas.
C. la Organización para la Paz Mundial.
D. el Departamento de Estado.

El sistema judicial federal

LA JUDICATURA NACIONAL

RESUMEN DEL TEXTO

La idea PRINCIPAL

La Constitución determina la estructura de la judicatura federal, la jurisdicción de los tribunales y las funciones de los jueces federales.

La Constitución crea la Corte Suprema y delega en el Congreso la autoridad de establecer los **tribunales inferiores,** que son las cortes federales de menor rango que la Corte Suprema. El Congreso ha establecido dos tipos diferentes de cortes o tribunales federales. Los tribunales constitucionales se ocupan de los asuntos relacionados con el "poder judicial de los Estados Unidos". Los tribunales especiales, como el Tribunal de Impuestos, se encargan de los casos relacionados con los poderes explícitos del gobierno.

A los tribunales constitucionales les corresponde la autoridad de asumir los casos federales, es decir, que tienen **jurisdicción** sobre este tipo de casos. Los tribunales federales gozan de **jurisdicción exclusiva** sobre aquellos casos que *sólo* a ellos les corresponde juzgar. Los tribunales federales y estatales tienen **jurisdicción concurrente** sobre aquellos casos que ambos pueden ver. Estos casos pueden ser disputas entre residentes de distintos estados. En algunos de estos casos, el **demandante** (la persona que plantea el caso) tiene la opción de llevar el pleito ante el tribunal federal o estatal. El **acusado** (la persona contra la que se presenta la reclamación) puede, en ocasiones, lograr que se traslade el caso de un tribunal estatal a uno federal.

El tribunal que trata primero un caso goza de **jurisdicción de primera instancia.** El tribunal que trata un caso como apelación procedente de un tribunal inferior dispone de **jurisdicción de apelación.**

El Presidente nombra a los jueces federales, y el Senado confirma estos nombramientos. Los puestos de los jueces de la Corte Suprema y de los tribunales constitucionales son vitalicios (de por vida), y los jueces sólo pueden ser removidos de sus cargos mediante un juicio de residencia.

PREGUNTA DE REPASO

¿Cómo son nombrados los jueces federales?

SECCIÓN 2

LOS TRIBUNALES INFERIORES

RESUMEN DEL TEXTO

Los tribunales inferiores, es decir, las cortes federales por debajo de la Corte Suprema, se ocupan de la mayoría de los casos federales. Todos los estados, el Distrito de Columbia y Puerto Rico cuentan con al menos un tribunal de distrito o tribunal federal de primera instancia.

Los 94 tribunales federales de distrito de los Estados Unidos gozan de jurisdicción de primera instancia sobre la mayoría de los casos federales, penales y civiles. Los **casos penales** federales son los derivados de una violación de la ley federal. Los **casos civiles** federales tratan sobre asuntos no penales, como puede ser una disputa por un contrato.

Cuando la **carga de casos** (la lista de todos los casos pendientes) de la Corte Suprema creció demasiado, el Congreso estableció los tribunales de apelación para que se encargaran de las apelaciones de los tribunales federales de primera instancia. Los Estados Unidos cuentan en la actualidad con 12 tribunales de apelación en 12 circuitos. Un total de 179 jueces de circuito se ocupan de estos tribunales de apelación. Hay un juez de la Corte Suprema asignado a cada tribunal de apelación.

El Congreso ha creado dos tribunales federales más. El Tribunal de Comercio Internacional de los Estados Unidos se encarga de los casos civiles relacionados con la legislación sobre el comercio. El Tribunal de Apelaciones del Circuito Federal se ocupa de las apelaciones procedentes de todas partes de la nación. Su propósito consiste en acelerar las apelaciones en ciertos tipos de casos civiles.

La idea PRINCIPAL

La mayoría de los casos federales se juzgan en los tribunales inferiores, es decir, en los tribunales que están por debajo de la Corte Suprema.

PREGUNTA DE REPASO

¿Qué es lo que define a los tribunales federales inferiores?

SECCIÓN 3 *LA CORTE SUPREMA*

RESUMEN DEL TEXTO

La idea **PRINCIPAL**

La Corte Suprema es la máxima autoridad para todos los casos relacionados con la ley federal.

La Corte Suprema está formada por el Juez Presidente y ocho jueces asociados. Es la autoridad definitiva para cualquier caso que tenga que ver con la ley federal. Cuenta con la potestad final de revisión judicial, es decir, el poder para decidir si una actuación del gobierno es o no constitucional. En 1803, el caso ante la Corte Suprema *Marbury* contra *Madison* estableció este poder.

La Corte Suprema cuenta con jurisdicción tanto de primera instancia como de apelación y la mayoría de los casos que trata le llegan como apelaciones. Le corresponden casos de jurisdicción de primera instancia si involucran a un estado o a un diplomático.

La Corte Suprema se pronuncia sólo sobre unos 100 casos anualmente. La mayor parte de ellos llega a esta corte mediante un **auto de certiorari,** que es una orden que se da a un tribunal inferior de que traslade el expediente del caso a la Corte Suprema para que sea revisado. Algunos casos llegan a la Corte Suprema por **certificación,** que es una solicitud de un tribunal inferior para que la Corte Suprema se pronuncie, certificando su dictamen.

Cuando la Corte Suprema acepta un caso, ambas partes del caso le envían un alegato con un informe que apoya su postura. Ambas partes presentan sus argumentos verbalmente y, a continuación, los jueces llevan a cabo una votación. Los jueces explican su decisión por escrito mediante una **opinión mayoritaria,** que presenta la postura oficial del tribunal. Cada una de estas opiniones sienta un **precedente,** es decir, un ejemplo para futuros casos similares. Si un juez está de acuerdo con la decisión, puede escribir una **opinión concurrente** para añadir datos a la opinión mayoritaria. Todo juez que no esté de acuerdo con un dictamen puede emitir una **opinión disidente.**

PREGUNTA DE REPASO

¿Qué ocurre antes de que la Corte Suprema escucha los argumentos verbales?

SECCIÓN 4 LOS TRIBUNALES ESPECIALES

RESUMEN DEL TEXTO

Los tribunales especiales del sistema judicial federal estadounidense se denominan también tribunales legislativos. Estos tribunales cuentan con una jurisdicción muy limitada, normalmente en conexión con uno de los poderes explícitos del Congreso, como la autoridad para fijar impuestos.

Nadie puede demandar a los Estados Unidos a menos que el Congreso apruebe el caso. El Congreso estableció el Tribunal de Demandas contra el Gobierno Federal para que éste se encargue de este tipo de casos y para permitir que los ciudadanos puedan obtener una **reparación por daños,** es decir, una compensación ante la demanda, generalmente en la forma de un pago.

El Congreso creó los tribunales territoriales para juzgar los casos que tienen lugar en los territorios estadounidenses como las Islas Vírgenes. El Distrito de Columbia, que no es ni estado ni "territorio", cuenta también con su propio sistema judicial.

Dos tribunales se ocupan de los casos militares. El Tribunal de Apelaciones de las Fuerzas Armadas es un **tribunal civil,** lo cual quiere decir que sus jueces no son militares. Éste es el tribunal de último recurso para los casos que tienen que ver con la ley militar, y puede revisar la decisión de un **tribunal militar,** que es un tribunal compuesto por militares que juzga a los acusados de violar la ley militar.

El Tribunal de Apelaciones para Veteranos de Guerra también se encarga de juzgar casos de índole militar. Toma decisiones en casos de apelaciones relacionadas con beneficios que reciben los veteranos de guerra.

El Tribunal de Impuestos se ocupa de los casos civiles relacionados con la legislación impositiva. La mayoría de los casos que aquí se tratan proceden del Servicio de Impuestos Internos (IRS) estadounidense y de otras agencias del Departamento del Tesoro.

La idea PRINCIPAL

Los tribunales especiales se ocupan de los casos que no corresponden al sistema judicial principal.

PREGUNTA DE REPASO

¿En qué circunstancias puede una persona demandar a los Estados Unidos?

Nombre ____________________ Clase ____________________ Fecha ________

CAPÍTULO 18 *Prueba*

IDENTIFICAR LAS IDEAS PRINCIPALES

Escribe la letra de la respuesta correcta en el espacio en blanco. (10 puntos cada una)

____ **1.** ¿Quién ostenta la autoridad para crear tribunales inferiores?

A. los tribunales legislativos
B. la Corte Suprema
C. el Congreso
D. los tribunales constitucionales

____ **2.** "Jurisdicción concurrente" quiere decir que un caso puede juzgarse en

A. un tribunal estatal.
B. un tribunal federal.
C. un tribunal estatal o federal.
D. la Corte Suprema.

____ **3.** En un caso ante un tribunal, el demandante

A. presenta un argumento verbal ante la Corte Suprema.
B. tiene jurisdicción sobre éste.
C. es la persona contra la cual se plantea el caso.
D. es quien plantea un caso ante el tribunal.

____ **4.** Los tribunales federales que tienen jurisdicción de primera instancia sobre la mayoría de los casos federales son los tribunales

A. de distrito.
B. de apelación.
C. especiales.
D. inferiores.

____ **5.** En la actualidad, los Estados Unidos cuentan con

A. 9 tribunales federales de apelación; cada uno de los cuales cuenta con un juez de la Corte Suprema.
B. 12 tribunales federales de apelación que cubren 12 circuitos judiciales.
C. 179 tribunales federales de apelación que cubren 12 circuitos judiciales.
D. 50 tribunales federales de apelación, uno para cada estado.

____ **6.** ¿A qué tribunal le corresponde la autoridad definitiva de revisión judicial?

A. al Tribunal de Demandas contra el Gobierno Federal
B. a la Corte Suprema
C. al Tribunal del Distrito de Columbia
D. al Tribunal de Apelaciones del Circuito Federal

____ **7.** La mayoría de los casos que llegan a la Corte Suprema proceden de

A. alegatos.
B. autos de certiorari.
C. certificación.
D. argumentos verbales.

____ **8.** Un juez de la Corte Suprema puede redactar una opinión disidente para

A. explicar por qué no está de acuerdo con la opinión mayoritaria.
B. añadir datos a la opinión mayoritaria.
C. solicitar una apelación.
D. establecer una revisión judicial.

____ **9.** Las reparaciones por daños que se reciben de los Estados Unidos pueden obtenerse en

A. el Congreso.
B. el Tribunal de Apelaciones de los Estados Unidos.
C. la Corte Suprema.
D. el Tribunal de Demandas contra el Gobierno Federal.

____ **10.** De los casos del Servicio de Impuestos Internos (IRS) estadounidense suele encargarse

A. el Tribunal de Apelaciones de las Fuerzas Armadas.
B. el Tribunal de Demandas contra el Gobierno Federal.
C. el Tribunal de Impuestos.
D. el Tribunal de Apelaciones para Veteranos de Guerra.

Las libertades civiles: libertades contempladas en la 1ª enmienda

LOS DERECHOS INALIENABLES

RESUMEN DEL TEXTO

La Declaración de Independencia establece que todos los ciudadanos desde que nacen, gozan de ciertos derechos inalienables, llamados también libertades individuales. Las diez primeras enmiendas a la Constitución (conocidas como la **Declaración de Derechos**) enumera estos derechos.

La Constitución garantiza tanto las libertades como los derechos civiles de los estadounidenses. Estos términos suelen utilizarse indistintamente. No obstante, las **libertades civiles** son protecciones contra acciones del gobierno, mientras que los **derechos civiles** son acciones positivas del gobierno que defienden lo que dispone la Constitución.

Cada garantía constitucional de libertad civil limita el poder del gobierno. Sin embargo, los estadounidenses no tienen una libertad total. Sólo pueden disponer de sus libertades de una manera que no infrinja los derechos de los demás. La mayor parte de los derechos constitucionales les corresponden a todas las personas que viven en los Estados Unidos, incluyendo a los **extranjeros residentes,** que son aquellos que nacieron fuera del país y residen en los Estados Unidos, u otras personas que no poseen la ciudadanía.

La Declaración de Derechos sólo afecta al Gobierno Nacional. La mayor parte de las protecciones que estipula afectan también a los gobiernos estatales gracias a la **Cláusula de Debido Procedimiento Legal** de la 14ª enmienda. Esta cláusula dice lo siguiente: "Ningún estado podrá . . . privar a ningún individuo de su vida, libertad o propiedad sin mediar el debido procedimiento legal". Por medio de una serie de casos, la Corte Suprema ha llevado a cabo lo que se denomina **proceso de incorporación,** por el cual la mayoría de las garantías de la Declaración de Derechos han sido incluidas en la Cláusula de Debido Procedimiento Legal.

La idea PRINCIPAL

Muchas de las enmiendas constitucionales garantizan los derechos de los individuos contra el poder del gobierno.

PREGUNTA DE REPASO

¿Cuál es la diferencia entre las libertades civiles y los derechos civiles?

SECCIÓN 2 *LA LIBERTAD DE CULTO*

RESUMEN DEL TEXTO

La idea **PRINCIPAL**

La 1ª enmienda a la Constitución garantiza la libertad de culto mediante la Cláusula sobre Instituciones y la Cláusula de Libre Ejercicio.

La libertad de expresión, que incluye la libertad de culto (o religión) y la libertad de prensa, es necesaria para una sociedad libre. La 1ª enmienda garantiza la libertad de culto a través de la Cláusula de Instituciones y la Cláusula de Libre Ejercicio. La Cláusula de Debido Procedimiento Legal de la 14ª enmienda protege esta libertad frente a posibles acciones de los estados.

La **Cláusula sobre Instituciones** dice que "el Congreso no promulgará ley alguna que concierna a una institución religiosa..." Al describir esta cláusula, Thomas Jefferson dijo que levantaba "un muro que separa la iglesia y el estado". De qué tipo de "muro" se trata (en particular en lo que se refiere a la educación), es algo que no se acordó y que se ha debatido desde entonces en numerosos casos ante los tribunales. Por ejemplo, en 1925 la Corte Suprema dictaminó que el gobierno de un estado no podía obligar a los padres a llevar a sus hijos a escuelas públicas en lugar de a escuelas **privadas religiosas.**

En otros dictámenes, la Corte Suprema ha estipulado que las escuelas públicas no pueden auspiciar acontecimientos religiosos. Sin embargo, no ha dicho nunca que los ciudadanos no puedan rezar cuando y como quieran, sea en las escuelas o en cualquier otro lugar.

La **Cláusula de Libre Ejercicio** dice que "el Congreso no emitirá ley alguna... que prohiba el libre ejercicio [de ninguna religión]..." De este modo se garantiza el derecho de cualquier individuo a rendir el culto que desee. No obstante, nadie puede actuar como desee aduciendo creencias religiosas. Por ejemplo, está prohibido infringir la ley o causar daños a los demás por motivos de culto.

PREGUNTA DE REPASO

¿Qué restricción existe con respecto a la libertad de culto?

LA LIBERTAD DE EXPRESIÓN Y DE PRENSA

RESUMEN DEL TEXTO

Las garantías de libertad de expresión y de prensa que establecen las enmiendas 1ª y 14ª protegen el derecho de todo individuo a hablar libremente y a escuchar lo que dicen los demás. No obstante, nadie tiene derecho a difamar a otra persona de forma verbal ni escrita. La **difamación por escrito** consiste en difundir falsas acusaciones malintencionadamente con un texto impreso, y la **difamación oral** consiste en difundirlas de forma verbal.

La **sedición** es un delito que consiste en tratar de derrocar u obstaculizar la labor de un gobierno mediante el uso de la fuerza o de acciones violentas. El **discurso sedicioso,** o el instar a este tipo de conducta, *no* está protegido por la 1ª enmienda. La Corte Suprema ha impuesto límites tanto al discurso sedicioso como a las obscenidades, pero raramente permite la **restricción previa,** que es la supresión por parte del gobierno de determinadas ideas *antes* de que sean expresadas.

Los medios de comunicación también están sujetos a la legislación federal. Por ejemplo, los periodistas no tienen el derecho constitucional a mantener en secreto sus fuentes de información. No obstante, 30 estados han aprobado **leyes de protección al periodista,** mediante las cuales los periodistas gozan de cierta protección ante su obligación de revelar sus fuentes o de divulgar otros datos confidenciales en procedimientos legales, en esos estados. Las empresas de radio y televisión están sujetas a una mayor regulación que los periódicos, puesto que utilizan las ondas (que son de propiedad pública) para difundir sus programas.

El **discurso simbólico,** que consiste en comunicar ideas mediante el comportamiento, ha sido protegido por la Corte Suprema. Una de estas conductas protegidas es el **piquetear,** cuando se lo hace pacíficamente. El piquetear consiste en desfilar o formar una valla frente al edificio de una empresa por parte de trabajadores en huelga.

La idea PRINCIPAL

Si bien las enmiendas 1ª y 14ª les otorgan a los estadounidenses el derecho a expresar sus ideas libremente, la Constitución y la Corte Suprema han impuesto ciertos límites a la libertad de expresión.

PREGUNTA DE REPASO

¿Qué podría hacer el gobierno si se le permitiera hacer uso de la restricción previa?

SECCIÓN 4

LA LIBERTAD DE REUNIÓN Y DE PETICIÓN

RESUMEN DEL TEXTO

La idea PRINCIPAL

La Constitución protege (pero también limita) los derechos de los estadounidenses a reunirse pacíficamente para expresar sus ideas y formular peticiones al gobierno.

Las enmiendas 1ª y 14ª les garantizan a los estadounidenses el derecho de **reunión,** que consiste en congregarse para intercambiar opiniones sobre asuntos públicos. Los ciudadanos pueden organizarse para influenciar la política pública y para comunicarles a los funcionarios públicos lo que piensan. Pueden hacerlo mediante peticiones, publicidad, cartas y manifestaciones. Las manifestaciones, no obstante, deben ser pacíficas. La gente no tiene derecho a bloquear las calles ni a cerrar las escuelas. Tampoco pueden poner en peligro la vida, la propiedad ni el orden público.

El gobierno puede establecer reglas que definan la hora y el lugar de estas reuniones y cómo se pueden llevar a cabo. Estas normas deben ser razonables y **neutrales en contenido,** es decir, no deben guardar relación con lo que pueda decirse en las manifestaciones.

La mayoría de las demostraciones se llevan a cabo en lugares públicos porque los manifestantes quieren captar la atención del público. No hay ningún derecho constitucional que permita realizar manifestaciones en propiedades privadas; por lo tanto, nadie tiene el derecho constitucional a repartir propaganda política o a pedir a la gente que firme peticiones en propiedad privada. Sin embargo, hay ciertas constituciones estatales que sí conceden este derecho.

Las garantías de libertad de reunión y de petición incluyen también la **garantía de asociación,** que es el derecho a sumarse a otros grupos de personas para defender causas políticas, económicas y sociales.

PREGUNTA DE REPASO

¿Qué quiere decir reunirse pacíficamente?

Nombre ______________________ Clase ______________ Fecha ______

CAPÍTULO 19 Prueba

IDENTIFICAR LAS IDEAS PRINCIPALES

Escribe la letra de la respuesta correcta en el espacio en blanco. (10 puntos cada una)

____ **1.** ¿Qué está provisto por la 1ª enmienda de la Constitución?

A. protección contra la investigación e incautación
B. libertad de acción religiosa
C. libertad de reunión
D. libertad de discurso sedicioso

____ **2.** La mejor definición de las libertades civiles es

A. la protección ante ciertas acciones del gobierno.
B. acciones positivas del gobierno en defensa de la Constitución.
C. toda acción del gobierno.
D. las libertades que se garantizan a todos los ciudadanos.

____ **3.** Los extranjeros son

A. personas que no viven en los Estados Unidos.
B. ciudadanos que viven fuera del país.
C. personas que no son ciudadanos estadounidenses y nacieron fuera del país.
D. ciudadanos que viven en los Estados Unidos de manera ilegal.

____ **4.** ¿Qué enmienda extiende a los estados las protecciones estipuladas en la Declaración de Derechos?

A. la 19ª enmienda
B. la 14ª enmienda
C. la 5ª enmienda
D. la 1ª enmienda

____ **5.** ¿Qué cláusula de la 1ª enmienda establece un muro que separa la iglesia y el estado?

A. la Cláusula de Libre Ejercicio
B. la Cláusula de Debido Procedimiento Legal
C. la Cláusula de Necesidad y Procedencia
D. la Cláusula de Instituciones

____ **6.** ¿Cuál de las siguientes acciones ha sido protegida por la Corte Suprema?

A. piquetear
B. el discurso sedicioso
C. difamar por escrito
D. difamar oralmente

____ **7.** ¿Cuál de los siguientes es un ejemplo de discurso simbólico?

A. escribir algo falso y malintencionado
B. llevar una cinta negra en el brazo para protestar contra la guerra
C. decir algo falso y malintencionado
D. instar a alguien a derrocar al gobierno

____ **8.** La Corte Suprema impide que el gobierno utilice el siguiente método para controlar la libertad de expresión:

A. aprobar leyes contra la difamación oral.
B. tratar casos judiciales de obscenidad.
C. castigar a los que sean declarados culpables de difamaciones por escrito.
D. castigar a alguien sospechoso de tener la intención de difamar a otra persona.

____ **9.** Los estados han concedido a los periodistas cierta capacidad para proteger sus fuentes de información mediante

A. leyes de protección al periodista.
B. la Cláusula de Debido Procedimiento Legal.
C. la libertad de asociación.
D. la Cláusula de Instituciones.

____ **10.** Cuando el gobierno establece reglas sobre las manifestaciones, estas reglas

A. no deben relacionarse con el tema de la manifestación.
B. deben proteger a la gente de comentarios desagradables.
C. deben proteger a los funcionarios públicos de críticas.
D. deben evitar que la manifestación crezca demasiado.

Las libertades civiles: la protección de los derechos individuales

SECCIÓN 1 *EL DEBIDO PROCEDIMIENTO LEGAL*

RESUMEN DEL TEXTO

La idea PRINCIPAL

Para garantizar un debido procedimiento legal, el gobierno debe actuar de forma justa y en cumplimiento con las normas vigentes.

La 5ª enmienda establece que el gobierno no podrá privar a nadie de su "vida, libertad o propiedad sin concederle el debido procedimiento legal". La 14ª enmienda extiende esta restricción también a los estados. El **debido procedimiento legal** obliga al gobierno a actuar de forma justa y de acuerdo con las normas establecidas, es decir, debe utilizar procedimientos justos. Éstos, sin embargo, no sirven de mucho si se utilizan para poner en práctica leyes injustas. El **debido procedimiento procesal** se refiere a los métodos justos que debe utilizar el gobierno. El **debido procedimiento sustantivo** designa al conjunto de normas justas según las cuales debe funcionar el gobierno.

Los estados tienen autoridad para proteger y fomentar la salud pública, la seguridad, la moralidad y el bienestar general de los ciudadanos. A este poder se lo llama **fuerza policial,** y los estados están obligados a utilizarla cumpliendo con el debido procedimiento legal. Cuando el uso de la fuerza policial entra en conflicto con las protecciones de los derechos civiles, los tribunales deben buscar un equilibrio entre las necesidades de la sociedad y los derechos individuales. En un caso clave de este tipo, la Corte Suprema apoyó a un policía que ordenó que se le hiciera un análisis de sangre a un conductor presuntamente borracho, pese a no contar con ninguna **orden de cateo,** o dictamen judicial que otorgara permiso para inspeccionar algo.

Las garantías constitucionales del debido procedimiento legal defienden "el derecho a no sufrir . . . intrusión no deseada en la intimidad individual por parte del gobierno". La aplicación más polémica de este derecho ha surgido a raíz de casos relacionados con el aborto.

PREGUNTA DE REPASO

Explica qué significa seguir el debido procedimiento legal.

La libertad y la seguridad individual

RESUMEN DEL TEXTO

La 13ª enmienda a la Constitución se incorporó en 1865 para dar fin a la esclavitud y a la **servidumbre involuntaria,** o trabajo forzado. La enmienda afecta tanto la conducta individual como la del gobierno. La Corte Suprema ha dictaminado que la 13ª enmienda autoriza al Congreso para combatir la **discriminación** racial, es decir, la injusticia o los prejuicios en función de la raza.

La 2ª enmienda protege el derecho de todos los estados a contar con una milicia. Ésta no garantiza el derecho de los ciudadanos a tener y portar armas. La Corte Suprema nunca ha decidido que tal derecho forme parte de la Cláusula de Debido Procedimiento Legal de la 14ª enmienda. Por lo tanto, cada estado puede establecer sus propias restricciones sobre el derecho a tener y portar armas, lo cual, de hecho, todos los estados hacen de una u otra manera.

La 3ª y 4ª enmienda garantizan que el gobierno no puede perturbar a los ciudadanos ni sus hogares sin debida causa. La 3ª enmienda prohibe el acuartelamiento ilegal de soldados en viviendas particulares, práctica común de la época colonial británica. Exige que, para buscar o confiscar evidencia o para buscar y capturar a una persona, los policías dispongan de una orden obtenida en función de una **causa probable,** es decir, una sospecha razonable de que ha ocurrido un delito. Fue instaurada para impedir el uso de lo que en tiempos coloniales se denominaban **autos de asistencia,** es decir, órdenes de cateo generales que permitían a los oficiales británicos inspeccionar los hogares particulares. La **regla de exclusión** establece que la evidencia que se recoja mediante una acción policial ilegal, como por ejemplo un cateo sin la debida orden, no podrá ser utilizada en contra de la persona de quien haya sido obtenida.

La idea PRINCIPAL

Varias de las provisiones de la Constitución protegen los derechos de los ciudadanos a no sufrir restricciones físicas y a gozar de seguridad individual y dentro de sus viviendas.

PREGUNTA DE REPASO

¿Por qué se añadió la 2ª enmienda a la Constitución?

SECCIÓN 3

LOS DERECHOS DEL ACUSADO

RESUMEN DEL TEXTO

La idea PRINCIPAL

El sistema judicial estadounidense presume que toda persona acusada de un delito es inocente a menos que se demuestre lo contrario, y la Constitución defiende los derechos de los acusados.

La Constitución contempla varios derechos para aquellas personas a las que se acusa de un delito. Ésta reconoce el derecho de los acusados a obtener un **recurso de *hábeas corpus,*** mediante el cual se obliga a todo oficial que detenga a alguien a explicarle el motivo de su detención. A su vez, la Constitución prohibe la aprobación de un **acta de proscripción,** que permite sancionar a los acusados sin juicio previo. A su vez, el Congreso y los estados tienen prohibido aprobar ninguna **ley posterior a los hechos,** es decir, una ley que antes de su aprobación convierta en delito una determinada acción y luego castigue a un acusado por haber cometido tal acción.

Un **gran jurado** decide si alguien puede ser acusado de un delito grave. El fiscal presenta al gran jurado un **acta de acusación,** que es una denuncia formal contra el acusado. El gran jurado decide si existen pruebas suficientes para juzgar al acusado; de lo contrario, se invalida la acusación. En la actualidad, la fiscalía de la mayoría de los estados presenta los cargos en una denuncia, que es un documento en el que el fiscal jura que existe suficientes pruebas para juzgar al acusado.

Un acusado no puede ser sometido a **doble enjuiciamiento,** es decir, no puede ser juzgado dos veces por un mismo delito. El acusado tiene derecho a un juicio rápido y público llevado a cabo por un jurado, y a disponer de un abogado defensor. Si un acusado rechaza este derecho, se lo somete a un **juicio sin jurado,** en el que sólo el juez escucha el caso.

La 5ª enmienda le otorga al acusado el derecho de no inculparse, es decir, de no actuar como testigo en su propia contra. La **norma Miranda** exige que la policía les lea una serie de derechos a los detenidos y que se asegure de que los comprendan.

PREGUNTA DE REPASO

¿Qué dispone el recurso de *hábeas corpus*?

SECCIÓN 4 LAS SANCIONES

RESUMEN DEL TEXTO

La 8ª enmienda ofrece ciertas protecciones para los estadounidenses que sean castigados por un delito. Prohibe que se fijen fianzas demasiado elevadas según lo que sea razonable. La **fianza** es una cantidad de dinero que un acusado debe pagar al tribunal para garantizar que acudirá ante dicho tribunal en la fecha y hora que se le exija. Una vez pagada la fianza, el acusado queda en libertad hasta la fecha en que se celebre su juicio. Si no se presenta, el acusado pierde el dinero.

En 1984, el Congreso autorizó el **arresto preventivo** de algunas personas acusadas de haber cometido delitos federales. Esto significa que un juez federal puede retener en prisión sin fianza a los acusados de delitos graves, siempre que exista un motivo para sospechar que podrían cometer más delitos antes de ser juzgados.

La 8ª enmienda también prohibe los castigos crueles y poco comunes, como el quemar en una hoguera al reo o crucificarlo. La Corte Suprema ha dictado que la **pena capital** (o pena de muerte) es constitucional siempre y cuando se aplique con justicia.

La traición es el único crimen que los artífices de la Constitución definieron de forma específica. Con esta medida pretendían evitar que los tiranos pudieran acusar a sus adversarios políticos de traición. La **traición** puede ser solamente una de dos cosas: emprender un acto de guerra en contra de los Estados Unidos o prestar servicio a los enemigos de la nación.

> La idea **PRINCIPAL**
>
> **En cuanto a las sanciones por delitos, la 8ª enmienda prohibe las fianzas excesivas y las penas crueles y poco comunes.**

PREGUNTA DE REPASO

¿Qué finalidad tiene la fianza?

Nombre ____________________ Clase ____________________ Fecha ________

CAPÍTULO 20 Prueba

IDENTIFICAR LAS IDEAS PRINCIPALES

Escribe la letra de la respuesta correcta en el espacio en blanco. (10 puntos cada una)

____ **1.** ¿Qué enmienda establece que el gobierno debe seguir el debido procedimiento legal antes de castigar a alguien acusado de un delito?

A. la 1ª enmienda
B. la 5ª enmienda
C. la 8ª enmienda
D. la 14ª enmienda

____ **2.** El requisito por el cual el gobierno funciona según un conjunto de normas justas se denomina

A. debido procedimiento procesal.
B. servidumbre involuntaria.
C. debido procedimiento sustantivo.
D. regla de exclusión.

____ **3.** Antes de catear una vivienda en busca de pruebas judiciales, la policía debe tener

A. una orden de cateo.
B. un recurso de *hábeas corpus*.
C. fuerza policial.
D. un acta de proscripción.

____ **4.** La 2ª enmienda indica que

A. cada estado puede tener su propia milicia.
B. todo estadounidense tiene derecho a poseer un arma.
C. los acusados de delitos no están obligados a inculparse.
D. la servidumbre involuntaria no es constitucional.

____ **5.** ¿A cuál de estas normas está sujeta toda prueba recogida por la policía mediante una acción ilegal?

A. ley posterior a los hechos
B. regla de exclusión
C. causa probable
D. norma Miranda

____ **6.** Una persona es detenida por la policía y encarcelada durante varios días sin que se le haga una audiencia. ¿Qué debe obtener el acusado?

A. una ley de hechos posteriores
B. un acta de proscripción
C. un recurso de *hábeas corpus*
D. un acta de acusación

____ **7.** ¿Cómo se decide si una persona puede ser acusada de un delito grave?

A. mediante el fiscal
B. mediante un abogado defensor
C. mediante un gran jurado
D. mediante un juicio sin jurado

____ **8.** Juzgar a una persona por un mismo delito dos veces es

A. una pena capital.
B. una presentación.
C. un acta de proscripción.
D. un doble enjuiciamiento.

____ **9.** ¿Cuál de las siguientes permite a un juez federal retener sin fianza en la cárcel a los acusados de delitos graves?

A. la 8ª enmienda
B. la norma Miranda
C. una orden de asistencia
D. el arresto preventivo

____ **10.** El único delito definido específicamente por los artífices de la Constitución es

A. la pena capital.
B. la traición.
C. la discriminación.
D. la presentación.

Los derechos civiles: justicia igualitaria bajo la ley

LA DIVERSIDAD Y LA DISCRIMINACIÓN EN LA SOCIEDAD ESTADOUNIDENSE

RESUMEN DEL TEXTO

Los Estados Unidos son una sociedad **heterogénea,** compuesta por personas de distinta procedencia. Desde la década de 1960, la composición del país desde el punto de vista étnico ha cambiado. La llegada de **inmigrantes** (personas que vienen como residentes permanentes legales) en cantidades récord hasta entonces, ha contribuido a que aumente el número de estadounidenses de origen africano, asiático e hispano. Gran parte de los inmigrantes hispanos que han llegado recientemente proceden de Centroamérica y Sudamérica en calidad de **refugiados,** es decir, personas que han tenido que abandonar sus países para protegerse de un peligro.

La **asimilación** es el proceso mediante el cual los individuos de una cultura se incorporan y entran a formar parte de otra cultura distinta. En nuestra historia, los estadounidenses blancos no se han caracterizado por tratar con igualdad a quienes no son blancos.

Los estadounidenses de origen africano, indígena, hispano y asiático son cuatro grandes grupos minoritarios que se han visto sometidos a la discriminación por parte tanto del gobierno como de ciudadanos particulares. En la actualidad, más de un tercio de la población nacional de indígenas norteamericanos vive en **reservas,** que son tierras públicas destinadas a alojar a las tribus indígenas norteamericanas.

De manera muy similar también sufren discriminación las mujeres, quienes han sido tratadas como inferiores en cuanto a la posesión de bienes, la educación y las oportunidades laborales.

La idea PRINCIPAL

En el difícil camino hacia el cumplimiento del ideal constitucional de igualdad para todos, los miembros de las minorías étnicas y las mujeres han sido víctimas de la discriminación.

PREGUNTA DE REPASO

¿Cómo se ha discriminado a las mujeres en los Estados Unidos?

SECCIÓN 2

IGUALDAD ANTE LA LEY

RESUMEN DEL TEXTO

El gobierno necesita tener poder para discriminar, es decir, tratar a ciertos grupos de manera distinta. Por ejemplo, puede tratar a los menores de edad de forma diferente de los adultos. No obstante, este poder debe estar restringido para lograr que la ley proteja por igual a todos los estadounidenses.

La idea PRINCIPAL

La ley federal ahora ofrece una serie de garantías para proteger a los estadounidenses de la discriminación basada en la raza o el sexo.

La **segregación** es la separación de un grupo de otro. En 1868, la 14ª enmienda garantizó la protección de la ley por igual para todos los estadounidenses. Sin embargo, los estados no tardaron en aprobar las **leyes de Jim Crow,** que segregaban a los afroamericanos, impidiéndoles compartir instalaciones con los blancos. En 1896, la Corte Suprema dictó que estas leyes eran constitucionales mediante la **doctrina "separados pero iguales".** En el caso *Plessy* contra *Ferguson,* la Corte dictó que no infringía la Constitución la existencia de diferentes instalaciones, teóricamente de la misma calidad, para los blancos y los afroamericanos.

Sin embargo, desde entonces la Corte Suprema ha anulado muchas de las leyes de Jim Crow. En 1954, el caso *Brown* contra *el Consejo Educativo de Topeka* puso fin a la norma "separados pero iguales". Fue entonces que la nación dio un paso adelante en su marcha hacia la **integración,** que es el proceso mediante el cual un grupo pasa a formar parte de la sociedad, gozando de los mismos derechos que los demás. La Ley de Derechos Civiles de 1964 prohibió la financiación federal de las actividades estatales o locales que fomentaran la segregación racial. Por último, en 1970 fue abolida la **segregación *de jure,*** es decir, la segregación ratificada por las leyes. No obstante, muchas comunidades están sometidas a una **segregación de hecho,** es decir, una segregación que existe pese a que no sea exigida por la ley; este fenómeno suele ser consecuencia de las tendencias habitacionales.

Otro de los motivos para el trato desigual ha sido durante mucho tiempo el sexo de una persona. Sin embargo, desde 1971 los tribunales han rechazado la mayoría de las leyes que contemplaban un trato distinto para los hombres y para las mujeres.

PREGUNTA DE REPASO

¿Qué es la integración?

LEYES FEDERALES DE DERECHOS CIVILES

RESUMEN DEL TEXTO

Desde la década de 1870 hasta finales de la década de 1950, el Congreso no aprobó ninguna ley sobre derechos civiles. A partir de entonces, han sido aprobadas numerosas normas. Una de las más importantes fue la Ley de Derechos Civiles de 1964, que establece que todas las personas, independientemente de la raza, el color, la religión o la nacionalidad de origen, pueden utilizar las "instalaciones públicas", como hoteles y restaurantes. Esta ley también prohibe la discriminación en el trabajo y en todos los programas que reciban dinero federal, basada en los motivos mencionados anteriormente o en la incapacidad física, edad o sexo. La Ley de Derechos Civiles de 1968 prohibe la discriminación en la venta o alquiler de viviendas.

En la década de 1960, el Gobierno Federal comenzó también a utilizar la **discriminación positiva,** es decir, la política que obliga a los empresarios a llevar a cabo ciertas acciones con el fin de mitigar los efectos de la discriminación del pasado. Los empresarios deben tratar que el personal refleje la composición general de la población y corregir las desigualdades en pago, ascensos y beneficios. Las normas que determinan las cantidades de puestos de trabajo o de ascensos que deben asignarse a los distintos grupos se llaman **cuotas.** La discriminación positiva se aplica a todos los cargos del gobierno y a todas las empresas que colaboran con él.

La discriminación positiva ha sido criticada por considerarse **discriminación a la inversa,** es decir que hace que se discrimine al grupo mayoritario. Los partidarios y detractores de esta política han presentado sus argumentos ante la Corte Suprema, las asambleas legislativas estatales y las urnas electorales, donde el debate prosigue.

La idea PRINCIPAL

Las leyes federales, aprobadas en la década de 1950 y de 1960, comenzaron a poner en tela de juicio la discriminación imperante durante tanto tiempo.

PREGUNTA DE REPASO

¿Cuál es la finalidad de la discriminación positiva?

SECCIÓN 4 *La nacionalidad estadounidense*

RESUMEN DEL TEXTO

La mayor parte de los habitantes de los Estados Unidos son **ciudadanos** estadounidenses, es decir, personas leales a los Estados Unidos y que, a cambio de su lealtad, reciben su protección. La mayor parte de los estadounidenses son ciudadanos de este país porque nacieron en él, en virtud del principio de ***jus soli,*** o "derecho de la tierra" (el lugar donde se nace). Según el ***jus sanguinis,*** o "derecho de sangre" (los padres de quienes se nace), una persona que nazca en el extranjero puede convertirse en ciudadano estadounidense si su padre o madre es ciudadano estadounidense y ha vivido en los Estados Unidos en algún momento.

La idea PRINCIPAL

La ciudadanía estadounidense puede obtenerse por nacimiento, por ser hijo de estadounidense o mediante el proceso de naturalización.

Varios millones de **extranjeros residentes,** es decir, ciudadanos de otro país que viven en los Estados Unidos pasan a convertirse en ciudadanos estadounidenses posteriormente mediante el proceso legal denominado **naturalización,** cuyo control exclusivo le corresponde al Congreso. Los estados no tienen ningún tipo de control sobre este proceso.

Los estadounidenses pueden renunciar a su nacionalidad voluntariamente. Esto se hace mediante el proceso de **expatriación.** Los ciudadanos estadounidenses que hayan obtenido la nacionalidad mediante métodos fraudulentos pueden perderla a través de un proceso ordenado por los tribunales que se llama **privación de la nacionalidad.**

La mayor parte de los inmigrantes que llegan a los Estados Unidos llegan de manera legal. Muchos otros, sin embargo, entran por las fronteras ilegalmente, por lo que deben enfrentarse a ciertos obstáculos especiales una vez dentro del país. El Congreso ostenta la autoridad para imponer y suprimir las restricciones relacionadas con la inmigración. Los extranjeros pueden ser **deportados,** es decir, obligados por la ley a abandonar los Estados Unidos.

PREGUNTA DE REPASO

¿Qué finalidad cumple el proceso denominado naturalización?

Nombre ______________________________ Clase ____________________ Fecha ________

CAPÍTULO 21 *Prueba*

IDENTIFICAR LAS IDEAS PRINCIPALES

Escribe la letra de la respuesta correcta en el espacio en blanco. (10 puntos cada una)

____ **1.** La sociedad estadounidense es heterogénea, puesto que

A. la mayoría de sus residentes no son ciudadanos.
B. está compuesta por personas de diferente procedencia.
C. la mayor parte de sus residentes tiene antepasados europeos.
D. permite la entrada de pocos inmigrantes.

____ **2.** ¿Qué grupos han sufrido los efectos de la discriminación en los Estados Unidos?

A. las mujeres
B. los estadounidenses de origen africano y asiático
C. los indígenas norteamericanos y los estadounidenses de origen hispano
D. Todas las anteriores son correctas.

____ **3.** ¿Que enmienda promete protección para todos por ley?

A. la 1ª enmienda
B. la 10ª enmienda
C. la 14ª enmienda
D. la 19ª enmienda

____ **4.** En 1896, la Corte Suprema dictaminó que

A. las instalaciones "separadas pero iguales" eran constitucionales.
B. las escuelas públicas debían integrarse.
C. las leyes de Jim Crow eran inconstitucionales.
D. la discriminación en la vivienda podría ser considerada inconstitucional.

____ **5.** ¿Qué caso de la Corte Suprema puso fin al dictamen "separados pero iguales"?

A. *Plessy* contra *Ferguson*
B. *Brown* contra *el Consejo Educativa de Topeka*
C. *Consejo rector de la Universidad de California* contra *Bakke*
D. *Bradwell* contra *Illinois*

____ **6.** ¿Qué tipo de segregación suele ser motivada por las tendencias habitacionales?

A. la segregación de Jim Crow
B. la segregación de hecho
C. la segregación *jus sanguinis*
D. la segregación *de jure*

____ **7.** La política gubernamental que tiene como objetivo contrarrestar los efectos de la discriminación pasada se llama

A. expatriación.
B. deportación.
C. discriminación a la inversa.
D. discriminación positiva.

____ **8.** La gran mayoría de los estadounidenses son

A. extranjeros.
B. expatriados.
C. ciudadanos estadounidenses.
D. inmigrantes.

____ **9.** Las personas que nacen en los Estados Unidos son ciudadanos estadounidenses por

A. *jus soli.*
B. *ex post facto.*
C. *jus sanguinis.*
D. *de jure.*

____ **10.** El proceso mediante el cual los extranjeros se convierten en ciudadanos estadounidenses se denomina

A. reserva.
B. discriminación.
C. naturalización.
D. inmigración.

Comparación de sistemas políticos

SECCIÓN 1 GRAN BRETAÑA

RESUMEN DEL TEXTO

El Reino Unido de Gran Bretaña e Irlanda del Norte es una democracia regida por un gobierno unitario y parlamentario. La constitución del país se basa en documentos escritos, así como en costumbres y prácticas no registradas en documentos.

El gobierno del Reino Unido es una **monarquía** encabezada por un rey o una reina. Hoy en día el monarca es meramente una figura visible que reina pero sin gobernar. El primer ministro ostenta la autoridad real del gobierno.

La idea PRINCIPAL

En Gran Bretaña, el gobierno unitario se basa en una constitución que, en su mayor parte, no está registrada en documento escrito, y el Parlamento ostenta el poder legislativo y el ejecutivo.

En el Parlamento bicameral del Reino Unido residen el poder legislativo y el poder ejecutivo de la nación. La cámara alta del Parlamento es la Cámara de los Lores, cuyos miembros han accedido a sus cargos por herencia —práctica a la que se dio fin en 1999— o han sido nombrados en forma vitalicia. La Cámara de los Lores tiene un poder muy limitado, pero los jueces de la cámara constituyen el tribunal de apelaciones de última instancia para los casos civiles y penales.

La cámara baja del Parlamento es la Cámara de los Comunes. Sus diputados, 659 miembros del Parlamento, se eligen por voto popular. Como mínimo, las elecciones generales para todos los escaños de la Cámara de los Comunes se celebran cada cinco años. Si un diputado fallece o renuncia, se lleva a cabo una **elección parcial.**

El dirigente del partido mayoritario de la Cámara de los Comunes es el primer ministro. Si no hay ningún partido que ocupe la mayoría de los escaños, se forma una alianza temporaria, o **coalición** de partidos, que elige al primer **ministro.** El primer ministro selecciona a los miembros del gabinete, o ministros, que son los máximos responsables de los departamentos ejecutivos. Todos los partidos de la oposición nombran a su propio gabinete en potencia en caso de que su partido acceda al poder. Este grupo se denomina **consejo de gobierno en la sombra.**

Recientemente, el Reino Unido ha dado comienzo a un proceso denominado **transferencia de autonomía,** es decir, un proceso mediante el cual se delega autoridad a los gobiernos regionales, como en el caso de Escocia. Este proceso tiene como finalidad resolver las necesidades gubernamentales especiales de las cuatro naciones que conforman el Reino Unido.

PREGUNTA DE REPASO

¿Cómo se elige al primer ministro del Reino Unido?

SECCIÓN 2 *EL JAPÓN*

RESUMEN DEL TEXTO

Durante gran parte de su historia, el Japón fue gobernado por un emperador. Pero a raíz de la derrota sufrida en la Segunda Guerra Mundial, este país instituyó un gobierno constitucional con la asesoría de los estadounidenses. El Japón se convirtió en una democracia parlamentaria con un emperador que ostenta su cargo de manera simbólica, pero carece de la autoridad para gobernar.

El parlamento del Japón, denominado Dieta Nacional, tiene una cámara alta llamada Cámara de los Consejeros y una cámara baja, la Cámara de Representantes. Aunque la Cámara de los Consejeros es prestigiosa, ostenta poca autoridad: sirve para que los dirigentes debatan sobre diversos asuntos. La Cámara de Representantes ejerce un poder más amplio: recauda fondos, negocia tratados y asigna presupuestos. Los políticos de la Dieta se esfuerzan por evitar enfrentamientos y colaboran para alcanzar un **consenso,** o acuerdo amplio, sobre los asuntos pertinentes.

Al primer ministro y al gabinete les corresponde el poder ejecutivo en el Japón. La Cámara de Representantes elige al primer ministro, quien a su vez nombra a los integrantes del gabinete. Al primer ministro le corresponde el poder de **disolución,** es decir, la autoridad de destituir a la Cámara de Representantes. En ese caso, se deben efectuar elecciones generales para llenar los escaños de la cámara baja. Sin embargo, la Cámara de Representantes tiene el poder de exigir la renuncia del primer ministro.

El Japón tiene una judicatura independiente, similar a la estadounidense. Ésta ostenta el poder para decidir si las leyes son constitucionales.

A nivel regional, el Japón está dividido en 47 unidades políticas denominadas **prefecturas,** entre las que se cuentan tres distritos metropolitanos y un distrito especial en la isla norteña de Hokkaido. Las prefecturas cuentan con un poder mucho más reducido que el de los estados en los EE.UU.

La idea PRINCIPAL

En la democracia parlamentaria del Japón, el emperador es un símbolo del estado, pero no tiene poder para gobernar.

PREGUNTA DE REPASO

¿En qué se diferencian las funciones del primer ministro de las del emperador del Japón?

SECCIÓN 3 MÉXICO

RESUMEN DEL TEXTO

La historia y la cultura de México han forjado el gobierno del país. España conquistó México en 1521, destruyendo al imperio azteca. Múltiples generaciones de españoles se mezclaron con los nativos, dando lugar así a una singular cultura mestiza. Un **mestizo** es una persona cuyos antepasados son españoles o portugueses e indígenas.

La idea PRINCIPAL

El gobierno de México guarda ciertas similitudes con el de los Estados Unidos, pero surgió como resultado de la historia y cultura únicas del país.

En 1821, los mexicanos declararon su independencia de España. Durante casi 100 años, México tuvo varios tipos de gobierno. En 1917, los mexicanos redactaron una nueva constitución que le confirió al gobierno un papel activo en el fomento de la calidad de la vida social, económica y cultural de México.

La nueva constitución estableció un gobierno que consta de una rama ejecutiva bajo el mando del presidente, una asamblea legislativa bicameral y una judicatura nacional. El presidente se elige mediante voto popular y cumple un mandato de seis años.

El sistema mexicano es multipartidista. Sin embargo, durante más de 65 años, un solo partido llamado el Partido Revolucionario Institucional (PRI) estuvo al mando del gobierno. En las elecciones del año 2000, Vicente Fox venció finalmente al PRI como candidato del Partido Acción Nacional (PAN).

En 1938, durante la época dominada por el PRI, el presidente Lázaro Cárdenas del Río supervisó la **nacionalización** de las compañías petroleras estadounidenses que operaban en México. Mediante el proceso de nacionalización, un gobierno adquiere industrias privadas que pasan a manos de la nación. En 1993, el presidente Carlos Salinas de Gortari negoció el **Tratado de Libre Comercio de América del Norte (TLCAN o NAFTA,** por sus siglas en inglés), que eliminó las restricciones comerciales entre los Estados Unidos, Canadá y México.

PREGUNTA DE REPASO

¿Cuáles son las tres ramas del gobierno mexicano?

SECCIÓN 4 RUSIA

RESUMEN DEL TEXTO

La Unión Soviética fue durante una época el país más grande del mundo. Fue el sucesor moderno del imperio ruso, que duró hasta 1917, fecha en que una revolución derrocó al emperador, o zar. Ese año, Vladimir Lenin dirigió otra revolución que le dio el poder al Partido Comunista y fundó la Unión Soviética. Tras la muerte de Lenin en 1924, Josef Stalin subió al poder como nuevo dirigente soviético y consolidó su autoridad mediante **purgas.** De esta forma, encarceló, exilió y ejecutó a sus opositores. Además, hizo de la Unión Soviética una de las principales potencias militares e industriales del mundo.

La Unión Soviética se denominaba oficialmente la Unión de Repúblicas Socialistas Soviéticas (URSS). Constaba de 15 repúblicas, de las cuales Rusia era la más poderosa. El complejo gobierno consistía en diversos estratos de **soviets** o consejos que gobernaban tanto a nivel de fábricas y granjas, como a nivel municipal, regional y nacional. Los dirigentes del Partido Comunista tomaban todas las decisiones importantes.

En 1985, Mikhail Gorbachev instauró un programa de reformas en base a dos principios. La **perestroika** fue la reestructuración de la vida económica y política. El **glasnost** fue la política de apertura bajo la cual el gobierno incrementó su tolerancia hacia la disidencia y la libertad de expresión. Una ola de democratización dio lugar al colapso total de la Unión Soviética en 1991.

En la actualidad, el gobierno ruso se encuentra en plena lucha por establecer una democracia y lograr reformas económicas. El sistema de gobierno es multipartidista. El presidente electo por voto popular cuenta con amplios poderes, aunque el gobierno no dispone de rama ejecutiva, legislativa ni judicial. El presidente nombra al primer ministro. La asamblea legislativa bicameral se denomina Asamblea Federal y está compuesta por el Consejo de la Federación y la Duma del Estado. Los integrantes electos de la Corte Constitucional tienen el poder de revisión judicial.

La idea PRINCIPAL

En 1991, la Unión Soviética se disolvió tras haber sido muy poderosa; hoy en día el gobierno aún está inmerso en una gran transición.

PREGUNTA DE REPASO

¿Qué relación guardaba Rusia con la antigua Unión Soviética?

SECCIÓN 5 LA CHINA

RESUMEN DEL TEXTO

La idea PRINCIPAL

La República Popular China está controlada por el Partido Comunista, que efectúa reformas económicas pero no cesa de reprimir cualquier tipo de oposición política.

En 1949, el dirigente comunista Mao Zedong tomó las riendas de la China y estableció la República Popular China. A mediados de la década de 1960, Mao intentó exterminar las antiguas costumbres del país. Durante la **Revolución Cultural,** que comenzó en 1966, los jóvenes integrantes de la Guardia Roja atacaron a maestros, intelectuales y a todo aquel que no mostrara entusiasmo por la revolución. En 1968, sin embargo, la Revolución Cultural ocasionó un caos tan grave que Mao la suspendió.

El Partido Comunista Chino (PCC) controla el gobierno del país. Los principales miembros del partido ocupan los puestos más importantes del gobierno y de las fuerzas armadas. Fomentan las reformas económicas, pero imponen serias restricciones a los derechos humanos.

El gobierno nacional de la China se compone de dos organismos principales: el Congreso Popular Nacional y el Consejo de Estado. Los diputados electos del Congreso Popular Nacional cumplen mandatos de cinco años. Según la constitución china, el Congreso es la más alta autoridad gubernamental pero, en la práctica, dispone de muy poco poder. El Consejo de Estado es el organismo principal de la rama ejecutiva del gobierno. Lo encabeza el primer ministro, escogido por el PCC.

Un sistema nacional de "tribunales del pueblo" se ocupa de los casos civiles y penales. La Corte Suprema del Pueblo supervisa estos tribunales.

El gobierno central de la China ejerce un control directo sobre las unidades políticas locales, entre las que se incluyen 22 provincias y 5 regiones **autónomas,** o independientes, habitadas por grupos étnicos minoritarios. En la actualidad siguen existiendo tensiones entre la República Popular China y Taiwan debido a la polémica en torno a quién representa al gobierno chino oficial.

PREGUNTA DE REPASO

¿De qué organismos principales consta el gobierno nacional chino?

Nombre ______________________ Clase ______________ Fecha ________

CAPÍTULO 22 Prueba

IDENTIFICAR LAS IDEAS PRINCIPALES

Escribe la letra de la respuesta correcta en el espacio en blanco. (10 puntos cada una)

____ **1.** ¿Cuál de los siguientes países es una monarquía?

A. Gran Bretaña
B. la China
C. Rusia
D. México

____ **2.** La asamblea legislativa del Reino Unido se denomina

A. Dieta.
B. Parlamento.
C. PRI.
D. Asamblea Federal.

____ **3.** El primer ministro de Gran Bretaña es

A. elegido por voto popular.
B. nombrado por la Cámara de Representantes.
C. el dirigente del partido mayoritario de la Cámara de los Comunes.
D. nombrado por el presidente.

____ **4.** Los integrantes de la Asamblea Legislativa japonesa

A. son famosos por sus debates escandalosos.
B. no ostentan un gran poder en la práctica.
C. tienen cargos vitalicios.
D. colaboran para lograr un consenso.

____ **5.** ¿Quién elige al primer ministro japonés?

A. la Asamblea Legislativa
B. el emperador
C. los votantes
D. el presidente

____ **6.** El partido político que acaparó el poder en México por gran parte del siglo XX es el

A. PAN.
B. PRI.
C. TLCAN.
D. PCC.

____ **7.** La constitución mexicana de 1917

A. le dio al gobierno un control mínimo sobre los asuntos cotidianos.
B. otorgó el poder total del gobierno al presidente.
C. estableció una asamblea legislativa unicameral.
D. le dio al gobierno un papel en el fomento de la calidad de vida en México.

____ **8.** Anteriormente, Rusia fue la república principal

A. de la Unión Soviética.
B. de la República Popular China.
C. del Sacro Imperio Romano.
D. de las Naciones Unidas.

____ **9.** La persona que ostenta la mayor autoridad en el gobierno ruso actual es el

A. emperador.
B. presidente.
C. soviet.
D. dirigente del comité.

____ **10.** El primer dirigente de la República Popular China fue

A. Jiang Zemin.
B. Deng Xiaoping.
C. Chiang Kai-shek.
D. Mao Zedong.

Comparación de sistemas económicos

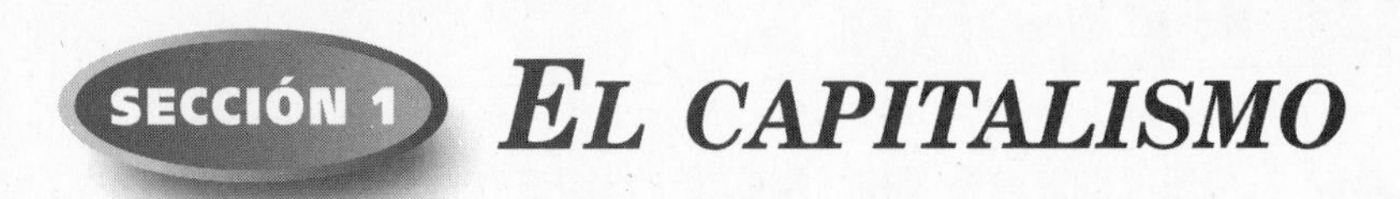

EL CAPITALISMO

RESUMEN DEL TEXTO

En cualquier economía, los recursos básicos (tierra, trabajo y capital) que se utilizan para fabricar todos los bienes y ofrecer servicios, se llaman **factores de producción.** Por "tierra" se entiende todo recurso natural. "Trabajo" se refiere a las personas que hacen el trabajo en una economía. El **capital** es el conjunto de recursos hechos por el hombre que se utilizan para producir bienes y servicios. Un **capitalista** es una persona que tiene capital y lo invierte de forma productiva. Un **empresario** reúne recursos —la tierra, el trabajo y el capital— para producir bienes y ofrecer servicios.

La idea PRINCIPAL

En un sistema económico capitalista, los individuos y las empresas privadas son quienes controlan los factores de producción.

El capitalismo es un **sistema de libre comercio,** es decir, un sistema económico que fomenta la propiedad privada o corporativa de los medios de producción y la inversión en estos medios. La propiedad privada, la iniciativa individual, el fin de lucro y la competencia son aspectos fundamentales de este sistema.

En un sistema en que existe la competencia, los precios son determinados por la **ley de la oferta y la demanda.** Esta ley sostiene que cuando se dispone de los bienes en abundancia, los precios tienden a bajar, y que cuando los bienes escasean, los precios tienden a aumentar. Del mismo modo, los precios suelen bajar cuando la demanda por los bienes disminuye; por lo general, cuando la demanda aumenta, los precios aumentan también.

Una compañía que es la única fuente de un producto o servicio determinado es un **monopolio.** Un **consorcio** es un monopolio en el que varias corporaciones de la misma industria se unen para eliminar la competencia y regular los precios.

La **teoría del laissez-faire** promulga que el gobierno sólo debe intervenir en la sociedad en determinados casos. Los Estados Unidos tienen una economía mixta en la que la propiedad privada coexiste con ciertas reglamentaciones económicas impuestas por el gobierno.

PREGUNTA DE REPASO

Explica la ley de la oferta y la demanda.

SECCIÓN 2 EL SOCIALISMO

RESUMEN DEL TEXTO

El **socialismo** es una filosofía económica y política que promulga la repartición justa de los beneficios de la actividad económica, es decir, la riqueza, entre los integrantes de la sociedad. Esta teoría surgió cuando, en 1848, Karl Marx y Friedrich Engels argumentaban que el **proletariado,** es decir, los trabajadores, eran tan mal tratados por la **burguesía,** es decir, los capitalistas, que los trabajadores terminarían por derrocar el sistema capitalista.

Los gobiernos socialistas suelen ser partidarios de la nacionalización, es decir, el control por parte del gobierno de ciertas empresas, y de fomentar el bienestar público. Los países que ofrecen a los usuarios una amplia gama de servicios sociales a bajo precio o gratuitamente suelen llamarse **estados benefactores.** Generalmente, estos países suelen fijar altos impuestos para cubrir los gastos de estos servicios.

Una economía capitalista es una **economía de mercado** porque los individuos particulares y las empresas son quienes toman las decisiones fundamentales del mercado sobre asuntos económicos. Una economía socialista es una **economía de planificación centralizada** porque los burócratas del gobierno planifican el desarrollo económico.

Los detractores del socialismo alegan que el sistema obstaculiza la iniciativa individual y conduce a una demora en la incorporación de nuevas tecnologías en la economía. Muchos de quienes no son partidarios del socialismo piensan que planificar la economía resulta menos eficaz que dejar que el mercado se controle solo. También sostienen que el socialismo anula la iniciativa de los trabajadores, puesto que el gobierno les cubre sus necesidades básicas. Los socialistas responden que es más justo y moral que las necesidades básicas de todos estén cubiertas. Arguyen que el socialismo agrega democracia económica a la democracia política. También aducen que el socialismo le da al ciudadano un mayor control sobre la vida diaria.

La idea PRINCIPAL

En los países socialistas, el gobierno desempeña un papel importante en la gestión de la economía y en la protección de los derechos de los trabajadores.

PREGUNTA DE REPASO

¿Cuál es la diferencia entre una economía de planificación centralizada y una economía de mercado?

SECCIÓN 3 EL COMUNISMO

RESUMEN DEL TEXTO

La idea **PRINCIPAL**

El comunismo es una teoría política, social y económica que defiende la propiedad colectiva, o estatal, de los bienes productivos.

A mediados del siglo XIX, Karl Marx elaboró la teoría política, social y económica del **comunismo,** que establece que los bienes productivos deben pertenecer a la colectividad, es decir, al estado. En los países de gobierno comunista, el partido comunista ostenta la autoridad absoluta para tomar decisiones de gobierno. La planificación centralizada tiene como finalidad establecer normalmente **planes quinquenales** (de cinco años), elaborados por una serie de burócratas que planifiquen la economía, según el desarrollo que los líderes pretendan lograr en dicho plazo. La **colectivización** es también esencial en el comunismo y consiste en la fusión de pequeñas explotaciones agrícolas privadas, dando lugar a grandes cooperativas que pertenecen al gobierno. También es fundamental que el estado sea dueño de ciertas partes de la economía.

La Unión Soviética se convirtió en una nación comunista al subir al poder Vladimir Lenin en 1917. El sucesor de Lenin, Josef Stalin, instauró la planificación centralizada, de la que se ocupaba un gran organismo llamado **Gosplan.** El comunismo soviético duró hasta 1991, año del derrumbe de la Unión Soviética. Boris Yeltsin llevó a cabo entonces una serie de cambios radicales en Rusia, como la privatización de las explotaciones agrícolas y las fábricas. La **privatización** consiste en devolver la titularidad de las empresas nacionalizadas a propietarios privados.

En 1949, Mao Zedong fundó la República Popular China como una nación comunista. El plan quinquenal de Mao de 1958 que se llamó el **Gran Salto hacia Adelante,** eliminó todos los elementos del libre mercado y fusionó a las explotaciones agrícolas colectivas para formar unidades de mayor tamaño denominadas **comunas.** En 1978, Deng Xiaoping encaminó al país rumbo a una economía de mercado pese a mantener un gobierno comunista.

Además de la China, hay otros países con gobiernos comunistas como Cuba, Vietnam, Laos y Corea del Norte.

PREGUNTA DE REPASO

¿Qué diferencias existen entre la propiedad colectiva y la propiedad privada?

Nombre ______________________ Clase ______________ Fecha ________

CAPÍTULO 23 *Prueba*

IDENTIFICAR LAS IDEAS PRINCIPALES

Escribe la letra de la respuesta correcta en el espacio en blanco. (10 puntos cada una)

____ **1.** ¿Cuál de éstos es un factor de producción?

A. el trabajo
B. la tierra
C. el capital
D. todos los anteriores

____ **2.** En una economía capitalista, la ley de la oferta y de la demanda determina

A. los impuestos.
B. los servicios sociales.
C. los precios.
D. el grado de intervención del gobierno.

____ **3.** El capitalismo se llama también

A. economía dirigida.
B. estado benefactor.
C. sistema social libre.
D. sistema de libre comercio.

____ **4.** Karl Marx creía que el proletariado derrocaría

A. el estado de bienestar.
B. a la burguesía.
C. a la clase baja.
D. a las naciones industrializadas.

____ **5.** ¿Qué sistema económico defiende el reparto equitativo de la riqueza?

A. la democracia
B. el capitalismo
C. el socialismo
D. ninguno de los anteriores

____ **6.** El traspaso de control de las empresas al gobierno se llama

A. sistema tributario.
B. planificación centralizada.
C. nacionalización.
D. privatización.

____ **7.** ¿Cómo suelen ser los impuestos en los países de economía socialista?

A. altos
B. bajos
C. normales
D. inexistentes

____ **8.** ¿Qué país no tiene un régimen comunista?

A. Corea del Norte
B. Cuba
C. Rusia
D. China

____ **9.** La fusión de explotaciones agrícolas pequeñas privadas para formar empresas gubernamentales de gran tamaño se llama

A. colectivización.
B. privatización.
C. industrialización.
D. nacionalización.

____ **10.** El comunismo es

A. una teoría política.
B. una teoría económica.
C. una teoría social.
D. todas las respuestas anteriores.

El gobierno de los estados

LAS CONSTITUCIONES DE LOS ESTADOS

RESUMEN DEL TEXTO

La idea PRINCIPAL

La constitución de un estado es la ley suprema que estipula cómo se gobierna dicho estado.

Cada estado cuenta con una constitución escrita, que es la ley suprema de todo estado. Las primeras constituciones estatales fueron redactadas durante la guerra de independencia estadounidense, o poco después de ésta. Todas proclaman dos principios: la **soberanía popular,** que significa que la autoridad del gobierno reside únicamente en el pueblo, y el **gobierno limitado,** que quiere decir que el gobierno posee sólo una serie de poderes específicos. El concepto de la separación de poderes y el de pesos y contrapesos fueron incorporados también a las primeras constituciones.

Todas las constituciones actuales de los estados cuentan con esas mismas provisiones. Además, todas contienen una declaración de derechos que detalla los derechos civiles de los ciudadanos, define la estructura del gobierno estatal y local, y estipula los poderes que le corresponden a cada unidad de gobierno.

Todas las constituciones establecen también los procesos de revisión y de enmienda. En 17 estados, los votantes pueden proponer enmiendas a la constitución mediante una **iniciativa,** que es un proceso por el cual un determinado número de votantes que cumplen ciertos requisitos pueden firmar peticiones en apoyo de una propuesta. Esta propuesta pasa entonces directamente a la boleta electoral y se somete a votación.

Casi todas las constituciones estatales necesitan reformas para ser actualizadas. Además, la mayor parte de ellas se enfrentan al problema de no separar el **derecho fundamental,** que es el conjunto de leyes de importancia básica y duradera que debe figurar en la constitución, del **derecho escrito,** que es el conjunto de leyes que va aprobando la asamblea legislativa.

PREGUNTA DE REPASO

Explica la diferencia entre el derecho fundamental y el derecho escrito.

LAS ASAMBLEAS LEGISLATIVAS DE LOS ESTADOS

RESUMEN DEL TEXTO

La asamblea legislativa, que en algunos estados se denomina Asamblea General o Corte General, es la parte del gobierno del estado que elabora las leyes. Tiene autoridad para aprobar cualquier ley que no esté en conflicto con la constitución del estado ni con las leyes federales. Entre sus poderes se encuentra el vital **fuerza policial,** que es la autoridad para proteger y fomentar la salud, la seguridad, la moral y el bienestar del público.

Las asambleas legislativas cuentan también con poderes que no son legislativos. Éstas pueden aprobar nombramientos y destituir los cargos públicos del estado. Tienen también **poder constituyente,** que es el poder de redactar constituciones y enmiendas.

Los legisladores del estado ocupan su cargo durante periodos de dos o cuatro años, y son escogidos por votación popular. En casi todas partes, los candidatos se nominan durante las primarias de los partidos políticos. Las constituciones estatales establecen ciertos requisitos para sus legisladores. Por ejemplo, en la mayor parte de los estados, los representantes deben tener al menos 21 años de edad, y los senadores 25.

Las asambleas legislativas están organizadas de forma similar al Congreso. Todas cuentan con un presidente y con un sistema de comités. Sólo una de las asambleas legislativas, la de Nebraska, tiene una sola cámara; el resto son bicamerales. El proceso legislativo también es similar al del Congreso. No obstante, algunos estados permiten la participación directa de los votantes. Un **referéndum** es un proceso mediante el cual una medida legislativa se presenta a votación ante el electorado para que éste la apruebe o la rechace.

La idea PRINCIPAL

Las asambleas legislativas estatales, que son organismos encargados de elaborar las leyes de los estados, son elegidas por votación popular y están organizadas como el Congreso.

PREGUNTA DE REPASO

¿Cómo se eligen los legisladores estatales?

El gobernador y la administración del estado

RESUMEN DEL TEXTO

El gobernador es la máxima autoridad ejecutiva de un estado, elegido por votación popular. Además de sus poderes ejecutivos y administrativos, cuenta con poderes legislativos y judiciales. Por ejemplo, en 42 estados, el gobernador puede recurrir al **veto de partidas** para vetar uno o más artículos de un proyecto de ley aprobado por la asamblea legislativa, sin tener que vetar el proyecto de ley en su totalidad.

La idea **PRINCIPAL**

El gobernador, que es el jefe ejecutivo de un estado, es elegido mediante votación popular, al igual que otros cargos públicos oficiales del estado.

La mayoría de los poderes judiciales de un gobernador son poderes de **clemencia** ejecutiva, o de compasión que puede mostrar hacia los delincuentes condenados. Por ejemplo, mediante su poder de **indulto,** un gobernador puede evitar el castigo de una persona condenada por un delito. Mediante el poder de **conmutación,** un gobernador puede reducir una sentencia que impone un tribunal. Un gobernador puede también conceder un **aplazamiento,** que consiste en postergar la ejecución de una sentencia. Cuando un gobernador concede la **libertad condicional,** pone en libertad a un preso antes de lo previsto por su sentencia.

El gobernador puede ser expulsado mediante un proceso de destitución en todos los estados menos en Oregón. En 18 estados, los votantes pueden remover del cargo a un gobernador **mediante destitución por voto popular.** Este proceso consiste en convocar elecciones para decidir la destitución de un gobernador antes de que finalice el plazo de su mandato.

En casi todos los estados, el gobernador comparte poderes con otros cargos públicos ejecutivos que también son elegidos por votación popular. Estos cargos públicos son el vicegobernador, el secretario de estado, el tesorero y el procurador general.

PREGUNTA DE REPASO

¿Mediante qué poder puede un gobernador reducir la sentencia de un delincuente?

SECCIÓN 4 *EN EL TRIBUNAL*

RESUMEN DEL TEXTO

El derecho es el código de conducta o conjunto de leyes que rige a una sociedad. Existen diversos tipos de derecho. Uno de ellos, el **derecho consuetudinario,** es el conjunto de normas no escritas que los tribunales han elaborado con el paso de los siglos a partir de ideas comúnmente aceptadas sobre lo que está bien y lo que está mal. Cuando un juez toma una decisión en un tribunal, ésta se convierte en un **precedente,** es decir, una norma que pasa a utilizarse en casos similares posteriores.

El derecho se divide también en penal o civil. El **derecho penal** es el que se refiere a los casos presentados contra personas acusadas de cometer delitos. Los delitos pueden ser **delitos graves,** que son los más serios y que se sancionan con fuertes multas, cárcel o pena de muerte. Un **delito menor** es una ofensa menos seria sancionable con una pequeña multa o con una breve sentencia de cárcel. El **derecho civil** es el que se refiere a las disputas entre particulares y entre los particulares y el gobierno. Suele penalizar a las personas con multas.

Un **jurado** es un grupo de personas escogidas para analizar las pruebas y tomar decisiones sobre cuestiones de hecho en un caso judicial. Los grandes jurados sólo intervienen en los casos penales. Éstos deciden si el estado dispone de las pruebas suficientes para someter a juicio a alguien. En los casos menos graves, en lugar del gran jurado, muchos estados utilizan las **denuncias,** que son acusaciones formales presentadas por la fiscalía. Un jurado analiza las pruebas de un caso y decide los hechos en disputa. En un **juicio sin jurado,** que es el que se utiliza para resolver casos de delitos menores de poca importancia y procedimientos civiles, un juez es el encargado de decidir el veredicto sin contar con ningún jurado.

La idea PRINCIPAL

Los tribunales estatales aplican los distintos tipos de derecho que componen el código de conducta por el que se rige nuestra sociedad.

PREGUNTA DE REPASO

¿Cuál es la diferencia entre un delito grave y un delito menor?

SECCIÓN 5

LOS TRIBUNALES Y LOS JUECES

RESUMEN DEL TEXTO

Cada constitución estatal crea un sistema judicial. La mayoría de los sistemas judiciales estatales y locales comparten una serie de características.

Los **jueces de paz** presiden los tribunales de justicia y suelen encontrarse en pueblos pequeños y en zonas rurales. Los jueces de paz, que son elegidos popularmente, suelen juzgar delitos de poca importancia y celebrar bodas. Pueden también emitir **órdenes judiciales,** que son dictámenes de un tribunal que autorizan una acción legal, como un arresto. Los jueces de paz pueden también celebrar **audiencias preliminares,** que son el primer paso de los juicios por delitos graves. En este tipo de audiencias, el juez decide si existen pruebas suficiente para retener a un acusado y remitirlo a un gran jurado o a la fiscalía. Los **magistrados** cumplen una función muy parecida a la de los jueces de paz, pero están radicados en las ciudades.

La idea PRINCIPAL

Los jueces de los tribunales estatales, que pueden ser elegidos de diferentes maneras, se encargan de casos que van desde los delitos menores a los más graves.

Muchas ciudades tienen tribunales municipales que se encargan de ver casos civiles de gran magnitud, así como delitos menores. La mayoría de los estados cuentan además con tribunales de menores, que juzgan a los menores de 18 años de edad. La mayor parte de los juicios civiles y penales más importantes del país se celebran en tribunales estatales generales de primera instancia. Casi todos los estados tienen uno o más tribunales de apelación intermedios. Estos tribunales cuentan principalmente con **jurisdicción de apelación;** tienen la autoridad para revisar los dictámenes de los tribunales inferiores. La corte suprema del estado es el tribunal de más alto rango de ese estado. Es la que tiene la última palabra en todos los asuntos relacionados con la ley estatal.

Los jueces son elegidos generalmente por votación popular, pero también acceden a la judicatura por nombramiento directo del gobernador o de la asamblea legislativa. El método idóneo para elegir a los jueces ha sido tema de largos debates.

PREGUNTA DE REPASO

¿Qué es la jurisdicción de apelación?

Nombre ________________________ Clase ______________ Fecha ______

CAPÍTULO 24 Prueba

IDENTIFICAR LAS IDEAS PRINCIPALES

Escribe la letra de la respuesta correcta en el espacio en blanco. (10 puntos cada una)

____ **1.** Todas las constituciones de los estados se basan en los principios

A. del derecho fundamental y el derecho escrito.
B. del fuerza policial y la jurisdicción de apelación.
C. de la iniciativa y el referéndum.
D. de la soberanía popular y el gobierno limitado.

____ **2.** Casi todas las constituciones de los estados necesitan

A. reformas.
B. derecho escrito.
C. iniciativa.
D. derechos civiles.

____ **3.** Las asambleas legislativas de los estados están organizadas como

A. el cargo de gobernador.
B. el Parlamento.
C. el Congreso.
D. el derecho consuetudinario.

____ **4.** ¿Qué es el poder policial del Estado?

A. el poder para buscar y arrestar a los delincuentes
B. el poder para proteger y fomentar la salud, la seguridad, la moral y el bienestar de los ciudadanos
C. el poder para patrullar las autopistas estatales
D. el poder asesor en casos penales

____ **5.** La máxima autoridad ejecutiva de cada estado es el

A. gerente.
B. fiscal general.
C. gobernador.
D. Presidente.

____ **6.** El poder que tiene el gobernador para postergar la sentencia de un delincuente juzgado se llama poder de

A. aplazamiento.
B. conmutación.
C. indulto.
D. libertad condicional.

____ **7.** ¿Qué tipo de derecho no está escrito?

A. el derecho penal
B. el derecho consuetudinario
C. el derecho civil
D. los precedentes

____ **8.** En un juicio sin jurado,

A. un gran jurado decide si existen pruebas suficientes para que se celebre un juicio posterior.
B. un juez decide el caso sin la ayuda de ningún jurado.
C. el caso es sobre un delito grave o cantidades de dinero importantes.
D. un jurado analiza las pruebas y decide el caso.

____ **9.** Un juez de paz cumple una función similar a la de un

A. juez del tribunal estatal de apelaciones.
B. juez de la corte suprema estatal.
C. gran jurado.
D. magistrado.

____ **10.** El tribunal estatal que se ocupa de juzgar a las personas menores de 18 años de edad se llama

A. tribunal de apelación.
B. corte suprema del estado.
C. tribunal de menores.
D. tribunal de primera instancia.

CAPÍTULO 25

Los gobiernos locales y la financiación

LOS CONDADOS, LOS PUEBLOS Y LOS MUNICIPIOS

RESUMEN DEL TEXTO

La idea PRINCIPAL

Los condados, pueblos y municipios son algunas de las formas de gobierno local.

Cada estado crea y confiere autoridad a todos los gobiernos locales, que pueden ser de diversos tipos. Un **condado** (ayuntamiento) es la unidad principal de gobierno local en la mayoría de los estados. En muchos estados, los condados se encuentran divididos en **municipios,** que comparten las funciones de gobierno rural local con los condados. En algunos estados, los pueblos desempeñan gran parte de las funciones que suelen corresponderles en otros estados a los condados.

Los gobiernos de los condados pueden variar mucho en cuanto a su estructura, pero la mayoría se compone de cuatro elementos principales: un organismo de gobierno que suele llamarse junta del condado, una serie de juntas o comisiones, burócratas nombrados a sus cargos, y diversos cargos públicos elegidos.

El gobierno de un condado es el responsable de la administración de las leyes del estado y del condado. Entre sus funciones se encuentran el mantenimiento de las cárceles, las carreteras y las escuelas, así como la recaudación de los impuestos que financian los servicios del condado.

Un pueblo suele constar de zonas rurales y zonas urbanas. Ofrece una serie de servicios que suelen corresponderles a las ciudades y a los condados en otros lugares. Una junta de concejales gestiona los asuntos del pueblo durante el plazo entre las asambleas anuales de vecinos. En estas reuniones, los votantes deciden los impuestos, los gastos y otros asuntos del pueblo.

Los municipios suelen cumplir funciones rurales sobre asuntos como las carreteras, los desagües y el cumplimiento de las leyes. Celebran asambleas de veci nos cada año y son gobernados por una junta de entre tres y cinco integrantes.

Un **distrito especial** lleva a cabo tareas gubernamentales a nivel local. Suele estar regido por una junta electa. Algunos ejemplos de estos distritos son los escolares y los que se ocupan de las aguas, la protección policial y el mantenimiento de los puentes y parques.

PREGUNTA DE REPASO

¿Qué papel desempeñan en la gestión de un pueblo sus votantes?

SECCIÓN 2

LAS CIUDADES Y LAS ZONAS METROPOLITANAS

RESUMEN DEL TEXTO

A lo largo de su historia, la población principalmente rural de los Estados Unidos ha llegado a convertirse en urbana. Los estados han establecido las ciudades como organismos legales mediante el proceso de **incorporación.** Los **estatutos** son las leyes básicas de una ciudad, o su "constitución".

El **gobierno de alcaldía y junta** es la forma de gobierno más antigua y común para una ciudad. Bajo un **gobierno de alcaldía fuerte,** el alcalde encabeza la administración de la ciudad, contrata y despide a los empleados y prepara el presupuesto. Bajo un **gobierno de alcaldía débil,** el alcalde comparte las funciones ejecutivas con otros cargos públicos elegidos y con el ayuntamiento.

En un **gobierno por comisión,** entre tres y nueve comisionados elegidos por votación popular forman el ayuntamiento. Cada uno de ellos encabeza también un departamento del gobierno de la ciudad.

Un **gobierno de junta y administrador** cuenta con una junta de mucha autoridad, que está conformada por entre cinco y siete componentes elegidos mediante una votación no partidista, con un alcalde de poca autoridad, y con un administrador de la ciudad nombrado por el ayuntamiento.

La **zonificación** es la práctica por la cual se divide una ciudad en distritos y se regulan los usos de la propiedad en cada distrito. En esta forma de planificación urbana, los terrenos suelen clasificarse en una de estas tres categorías: residencial, comercial o industrial.

Hoy en día, aproximadamente la mitad de los estadounidenses viven en barrios residenciales en las afueras de las ciudades. El éxodo de la población de las ciudades hace que éstas pierdan muchos recursos de tipo cívico, financiero y social. Algunos de los intentos por resolver las necesidades de las **zonas metropolitanas** (las ciudades y las zonas que las rodean) son la anexión de zonas de la periferia y la creación de distritos especiales establecidos para un único propósito, como parques.

La idea PRINCIPAL

La población de EE.UU., en un momento principalmente rural, se ha convertido en gran medida en urbana.

PREGUNTA DE REPASO

¿Qué diferencia hay entre un gobierno de alcaldía fuerte y un gobierno de alcaldía débil?

SECCIÓN 3 LOS SERVICIOS IMPORTANTES

RESUMEN DEL TEXTO

Los estados prestan muchos servicios a los ciudadanos directamente a través de las agencias y programas estatales, e indirectamente mediante los gobiernos locales.

La educación es una de las más importantes y costosas responsabilidades de todos los estados. Los gobiernos locales financian la educación primaria y secundaria con cierta colaboración del estado, que a su vez administra también los sistemas universitarios públicos.

La idea **PRINCIPAL**

Los gobiernos estatales y locales ofrecen a sus ciudadanos numerosos y costosos servicios.

Los estados fomentan el bienestar de sus ciudadanos de muchas maneras. Por ejemplo, éstos financian los programas de salud pública como **Medicaid,** que ofrece un seguro médico a las familias con bajos ingresos. Los estados contribuyen también a los programas de **asistencia social,** que proveen dinero en efectivo para los pobres. Éstos son programas de **asistencia social por derecho,** es decir, todo el que cumple con ciertos requisitos tiene derecho a recibir beneficios. Los estados fomentan el bienestar público de otras maneras, como mediante la aplicación de las leyes medioambientales y las de seguridad laboral.

Los estados protegen la seguridad del público estableciendo unidades policiales y centros correccionales para aquellos que son condenados por delitos estatales. Los gastos derivados de estos centros han aumentado cuantiosamente debido al crecimiento del número de condenados y de la duración de las sentencias de cárcel.

Los estados también construyen y mantienen todas las autopistas y carreteras que se hallan dentro de sus fronteras. Para el mantenimiento de las autopistas que cruzan varios estados reciben fondos federales.

Los servicios que ofrecen los gobiernos estatales y locales varían enormemente. Los presupuestos de los estados dependen del grado de **urbanización** de cada estado, es decir, del porcentaje de población que vive en ciudades de más de 250,000 habitantes o en barrios residenciales de más de 50,000 habitantes.

PREGUNTA DE REPASO

¿Cómo fomentan los estados el bienestar de sus ciudadanos?

LOS GOBIERNOS ESTATALES Y LOCALES: FINANCIACIÓN

RESUMEN DEL TEXTO

Los gobiernos estatales y locales recaudan impuestos para financiar los muchos servicios que ofrecen. La Constitución Federal, la 14ª enmienda a la Constitución y las constituciones estatales establecen ciertos límites a la recaudación de impuestos. Las asambleas legislativas deciden los impuestos y las tasas de impuestos que pueden recaudar el estado y los gobiernos locales.

A varios artículos se les fija un **impuesto sobre la venta** que debe pagar el consumidor. El impuesto sobre la venta es un **impuesto regresivo,** es decir, no varía según la capacidad del contribuyente para pagar. Todos los habitantes de un estado deben pagar el mismo impuesto sobre la venta de un mismo artículo.

Sobre las ganancias de los particulares y de las empresas se cobra un **impuesto sobre la renta.** De este impuesto proviene aproximadamente un tercio de la recaudación total de cada estado. El impuesto sobre la renta para particulares suele ser un **impuesto progresivo,** es decir, cuanto más dinero ingrese un contribuyente, más deberá pagar. El impuesto sobre la renta para las empresas suele ser un porcentaje fijo de sus ingresos.

La principal fuente de ingresos de los gobiernos locales es el **impuesto sobre la propiedad,** que se impone a los bienes reales como la tierra o la propiedad privada, incluyendo las cuentas bancarias. El proceso de determinar el valor de la propiedad sobre la que se deben pagar impuestos se denomina **tasación.** Los herederos deben pagar un **impuesto a la herencia** sobre la parte de la herencia que les corresponda. También se fija un **impuesto sucesorio** directamente sobre el valor total de la sucesión.

Los impuestos sobre licencias, transferencias de documentos y entradas a espectáculos públicos son otras fuentes de ingresos para los estados y los gobiernos locales. Al margen de los impuestos, estos gobiernos también reciben otros recursos financieros mediante subvenciones federales y empresas gestionadas por el estado, como las carreteras de peaje. Un **presupuesto** es un plan financiero que determina la utilización del dinero, propiedades y personal públicos.

La idea PRINCIPAL

Los gobiernos estatales y locales utilizan los impuestos para recaudar dinero destinado a financiar los distintos servicios que ofrecen.

PREGUNTA DE REPASO

Al margen de los impuestos, ¿qué fuentes de ingresos contribuyen a las arcas de los gobiernos estatales y locales?

Nombre ______________________ Clase ______________ Fecha ________

CAPÍTULO 25 *Prueba*

IDENTIFICAR LAS IDEAS PRINCIPALES

Escribe la letra de la respuesta correcta en el espacio en blanco. (10 puntos cada una)

____ **1.** ¿Cuál es la unidad más grande de gobierno local en la mayoría de los estados?

A. el distrito especial
B. el municipio
C. el condado
D. el pueblo

____ **2.** Una junta de concejales está a cargo de un

A. distrito especial.
B. municipio.
C. condado.
D. pueblo.

____ **3.** ¿Cuál de estos servicios puede ofrecer un distrito especial?

A. administración escolar
B. mantenimiento de parques
C. protección policial
D. todos los anteriores

____ **4.** In general, a lo largo de su historia, la población de los Estados Unidos

A. ha pasado de ser rural a urbana.
B. se ha mantenido rural.
C. se ha mantenido urbana.
D. ha pasado de ser urbana a rural.

____ **5.** La forma de gobierno más común en las ciudades es

A. el gobierno por comisión.
B. el gobierno de junta y administrador.
C. el gobierno de alcaldía y junta.
D. el gobierno de alcaldía y administrador.

____ **6.** La práctica que consiste en regular el uso de la propiedad dentro de los distritos de una ciudad se llama

A. repartición por distritos especiales.
B. zonificación.
C. creación de estatutos.
D. incorporación.

____ **7.** Una de las responsabilidades más costosas de todos los estados es la

A. construcción y mantenimiento de las autopistas.
B. salud pública.
C. asistencia social.
D. educación.

____ **8.** El programa que ofrece dinero en efectivo a los pobres se llama

A. vacunación infantil.
B. Medicaid.
C. asistencia social.
D. subsidio federal.

____ **9.** El impuesto que se fija sobre la parte de propiedad que le corresponde a un heredero se llama

A. impuesto sucesorio.
B. impuesto a la herencia.
C. impuesto sobre la renta.
D. impuesto empresarial.

____ **10.** ¿Quién determina los impuestos que pueden aplicarse a nivel estatal y local?

A. el gobierno estatal
B. el gobierno federal
C. el gobierno de la ciudad
D. el gobierno del condado

GLOSSARY

A

absentee voting [voto en ausencia] voto que envían aquellos individuos a los que no les es posible acudir a las urnas electorales (pág. 37)

acquit [absolver] declarar que un acusado no es culpable de delito (pág. 57)

act of admission [ley de ingreso] ley aprobada por el Congreso, mediante la cual se incorpora un nuevo estado a la nación (pág. 22)

adjourn [levantar (una sesión)] darle fin a una sesión de manera oficial (pág. 48)

administration [administración] agencias y administradores del gobierno (pág. 75)

affirmative action [discriminación positiva] política que exige a las organizaciones a proceder de modo de corregir las desigualdades y discriminaciones del pasado (pág. 107)

Albany Plan of Union [Plan de Unión de Albany] plan de Benjamín Franklin de 1754 que propuso la unión de las 13 colonias, pero que éstas rechazaron (pág. 12)

alien [extranjero residente] persona que no es ciudadana del país donde vive (págs. 95, 108)

ambassador [embajador] persona nombrada para representar la autoridad máxima de una nación en otro país (pág. 85)

amendment [enmienda] cambio que modifica una constitución o una ley (pág. 18)

amnesty [amnistiar] perdonar colectivamente a un grupo de personas que ha infringido una ley (pág. 73)

Anti-Federalist [antifederalista] persona que se opuso a la atificación de la Constitución en 1787–1788 (pág. 15)

appellate jurisdiction [jurisdicción de apelación] autoridad por la que un tribunal reconsidera un caso procedente de un tribunal inferior (págs. 90, 124)

apportion [distribuir escaños] repartir asientos en la Cámara de Representantes (pág. 49)

appropriate [asignar] destinar dinero para un fin particular (pág. 56)

article [artículo] una de las siete secciones originales de la Constitución, además del Preámbulo (pág. 17)

Articles of Confederation [Artículos de la Confederación] documento que estableció el gobierno de los EE.UU., en vigencia desde 1781 hasta 1789 (pág. 13)

assemble [reunirse] congregarse, acudir a determinado sitio (pág. 98)

assessment [tasación] proceso mediante el cual se determina el valor de una propiedad para propósitos de impuestos (pág. 129)

assimilation [asimilación] proceso mediante el cual las personas de una cultura se incorporan y entran a formar parte de otra cultura distinta (pág. 105)

at-large [por votación general] sistema por el que todos los votantes de un estado, y no parte de ellos, eligen a sus representantes (pág. 49)

attorney general [procurador general] cargo más alto del Departamento de Justicia (pág. 77)

autocracy [autocracia] forma de gobierno en que una persona ostenta un poder político ilimitado y dictatorial (pág. 8)

autonomous [autónomas] independientes (pág. 114)

B

bail [fianza] cantidad de dinero que un acusado debe pagar a un tribunal para garantizar que acudirá ante dicho tribunal (pág. 103)

balance the ticket [moderar la candidatura] elegir un candidato a la Vicepresidencia que mejore las posibilidades del candidato a Presidente a ser elegido, en virtud de ciertas características, como étnicas (pág. 65)

ballot [boleta electoral] método por el que los votantes manifiestan la elección de sus candidatos políticos (pág. 37)

bankruptcy [bancarrota] proceso legal por el cual se libera a una persona o compañía de sus deudas (pág. 54)

bench trial [juicio sin jurado] juicio donde no hay jurado y sólo un juez se pronuncia sobre el caso (págs. 102, 123)

bicameral [bicameral] legislatura compuesta por dos cámaras u organismos (pág. 11)

bill [proyecto de ley] ley que se propone (pág. 61)

bill of attainder [acta de proscripción] orden que penaliza a una persona o grupo sin juicio previo (pág. 102)

Bill of Rights [Declaración de Derechos] las primeras diez enmiendas a la Constitución, que protegen los derechos fundamentales de las personas (págs. 18, 95)

bipartisan [bipartidista] que cuenta con la colaboración de los dos partidos políticos mayoritarios (págs. 26, 79)

blanket primary [primaria general] elección primaria en la que cada votante recibe la misma boleta electoral —una en la que aparecen los candidatos de todos los partidos políticos para cada nominación (pág. 36)

block grant [subsidio colectivo] dinero que el Gobierno Federal otorga para fines generales (pág. 22)

bourgeoisie [burguesía] nombre dado a los capitalistas por la teoría Marxista (pág. 117)

boycott [boicot] acción de boicotear; no comprar la mercancía o productos de alguien para obligar a dicha persona a actuar de determinado modo (pág. 12)

budget [presupuesto] plan financiero de ingresos y gastos (pág. 129)

bureaucracy [burocracia] estructura o conjunto de agencias, personas y reglamentos que regulan la gestión del Gobierno Federal (pág. 75)

bureaucrat [burócrata] persona que trabaja en una organización de administración burocrática (pág. 75)

by-election [elección parcial] en Gran Bretaña, una elección especial para elegir un remplazo cuando un diputado renuncia o fallece (pág. 110)

C

Cabinet [Gabinete] órgano asesor clave del Presidente, compuesto por los jefes de los departamentos ejecutivos (pág. 19)

capital [capital] conjunto de recursos hechos por el hombre que se utilizan para producir bienes y servicios (pág. 116)

capital punishment [pena capital] condena mediante la cual una persona es ejecutada por cometer un delito (pág. 103)

capitalist [capitalista] una persona que tiene capital y lo invierte de forma productiva (pág. 116)

categorical grant [subsidio categórico] dinero que el Gobierno Federal asigna para fines específicos y bien definidos, y con condiciones adjuntas (pág. 22)

caucus [asamblea electoral] reunión que celebran personas con ideas políticas similares o con afiliación a un mismo partido para elegir a los candidatos de puestos políticos (pág. 36)

censure [censurar] emitir una condena formal en contra de las acciones de un funcionario del gobierno (pág. 57)

centrally planned economy [economía de planificación centralizada] una economía cuyo desarrollo es planificado por los burócratas del gobieno (pág. 117)

certificate [certificación] solicitud para que la Corte Suprema se pronuncie sobre un caso en que un tribunal inferior no pudo aplicar la ley debida por confusión o falta de claridad en el caso (pág. 92)

charter [cédula real, estatuos] documento emitido por el rey con el cual otorgaba permiso a los colonialistas para formar un gobierno (págs. 11, 127)

checks and balances [pesos y contrapesos] sistema que permite a cada uno de los poderes del gobierno limitar la autoridad de los otros poderes (pág. 17)

chief administrator [administrador en jefe] función que cumple el Presidente como director de los empleados del gobierno y administrador del presupuesto (pág. 64)

chief citizen [ciudadano en jefe] función que cumple el Presidente como representante de los ciudadanos que trabaja para el bien público (pág. 64)

chief diplomat [diplomático en jefe] función que cumple el Presidente para definir la política internacional de la nación y mantener relaciones con otros países (pág. 64)

chief executive [ejecutivo en jefe] función que cumple el Presidente para la aplicación de las leyes, políticas y programas del gobierno (pág. 64)

chief legislator [legislador en jefe] función que cumple el Presidente al liderar la acción legislativa del Congreso (pág. 64)

chief of party [líder del partido] función que cumple el Presidente como dirigente de su partido político (pág. 64)

chief of state [jefe de estado] función que cumple el Presidente como jefe del gobierno (pág. 64)

citizen [ciudadano] persona leal a un país y que recibe la protección del país a cambio de su lealtad (pág. 108)

civil case [caso civil] caso judicial que trata asuntos no penales, que involucra a dos o más personas, empresas y/o el gobierno (pág. 91)

civil law [derecho civil] aspecto de la ley que no está cubierto en el derecho penal y que se refiere a las disputas entre particulares o entre particulares y el gobierno (pág. 123)

civil liberties [libertades civiles] protección de la seguridad, libre expresión y propiedad de una persona contra la acción del gobierno (pág. 95)

civil rights [derechos civiles] actos del gobierno que defienden las garantías constitucionales de las personas (pág. 95)

civil service [funcionarios públicos] grupo de empleados públicos que lleva a cabo las tareas administrativas del gobierno, seleccionado mediante un sistema competitivo de pruebas (pág. 79)

civilian tribunal [tribunal civil] corte que juzga casos concernientes a las Fuerzas Armadas; es parte del poder judicial y está completamente separada de la institución militar (pág. 93)

clemency [clemencia] poder del Presidente para conceder indulgencia a aquellos que han sido condenados por un delito (págs. 73, 122)

closed primary [primaria cerrada] elección primaria para escoger los candidatos de un partido, en la que sólo pueden votar las personas que se han afiliado a ese partido (pág. 36)

cloture [clausurar] voto para darle fin a un debate (pág. 62)

coalition [coalición] unión de personas de intereses diversos que actúan de manera conjunta para alcanzar objetivos comunes (págs. 26, 110)

coattail effect [efecto de arrastre] la influencia de un candidato importante de un partido en el éxito de otros candidatos de ese partido (pág. 37)

cold war [guerra fría] periodo de más de 40 años a mediados del siglo XX durante el cual los Estados Unidos y la Unión Soviética mantuvieron relaciones hostiles (pág. 87)

colleague [colega] compañero de trabajo (pág. 50)

collective security [seguridad colectiva] el principio en virtud del cual las naciones acordaron intervenir conjuntamente contra cualquier nación que pusiera en peligro la paz (pág. 87)

collectivization [colectivización] fusión de pequeñas explotaciones agrícolas privadas, que dan lugar a grandes cooperativas controladas por el gobierno (pág. 118)

commander in chief [comandante en jefe] función que cumple el Presidente por la que controla las fuerzas armadas de la nación (pág. 64)

Commerce and Slave Trade Compromise [Acuerdo Mercantil y de Comercio de Esclavos] acuerdo en la Convención Constitucional que prohibía al Congreso fijar impuestos sobre las exportaciones de los estados y emprender acciones contra el comercio de esclavos por un periodo mínimo de 20 años (pág. 14)

commerce power [poder mercantil] la autoridad constitucional de regular el comercio (pág. 54)

commission government [gobierno por comisión] forma de gobierno en la cual los comisionados elegidos forman el ayuntamiento y a su vez encabezan un departamento del gobierno de la ciudad (pág. 127)

comittee chairman [presidente de comité] miembro del Congreso que precede uno de los comités permanentes en cada cámara (pág. 59)

Committee of the Whole [Comité Plenario] comité formado por todos los miembros del cuerpo legislativo (pág. 61)

common law [derecho consuetudinario] parte de la ley elaborada por los tribunales a partir de ideas comúnmente aceptadas sobre lo que está bien y lo que está mal; estas ideas con el tiempo se convierten en guías para decisiones posteriores; no son leyes de derecho escrito (pág. 123)

commune [comuna] unidad más grande dentro de la cual fueron fusionadas las explotaciones agrícolas colectivas durante el plan quinquenal chino llamado el Gran Salto hacia Adelante (pág. 118)

communism [comunismo] tipo de gobierno en el cual un partido tiene la autoridad para tomar decisiones y controlar la economía (pág. 118)

commutation [conmutación, conmutar] acción de conmutar; reducir la duración de una condena o la cantidad de la multa (págs. 73, 122)

compromise [acuerdo mutuo] arreglo por el cual se combinan ideas opuestas para obtener una solución aceptable para la mayoría (pág. 9)

concurrent jurisdiction [jurisdicción concurrente] situación en la cual tribunales estatales y federales tienen autoridad para tratar ciertos casos (pág. 90)

concurrent power [poder concurrente] poder que comparten ambos el Gobierno Nacional y los estados (pág. 21)

concurrent resolution [resolución concurrente] medida del Congreso aprobada por la Cámara de Representantes y el Senado, pero que carece de carácter de ley (pág. 61)

concurring opinion [opinión concurrente] documento escrito por uno o más jueces, en concordancia con el dictamen de la Corte Suprema que hace hincapié en una idea o añade algún otro aspecto a una opinión mayoritaria (pág. 92)

confederation [confederación] alianza de estados que forma un gobierno central de poderes limitados; unión de varios grupos con un fin común (págs. 8, 12)

conference committee [comité de conferencia] comité conjunto temporal del Congreso que redacta un proyecto de ley aceptable para ambas cámaras cuando ambas aprueban versiones distintas de una misma ley (pág. 60)

Connecticut Compromise [Acuerdo de Connecticut] acuerdo de la Convención Constitucional que creó una legislatura bicameral; los estados recibieron la misma representación en una cámara y representación proporcional a la población en la otra; también llamado el Gran Acuerdo (pág. 14)

consensus [consenso] acuerdo general entre varios grupos (págs. 26, 53, 111)

constituency [electorado] el grupo de personas e intereses representados por los miembros del Congreso (pág. 50)

constituent power [poder constituyente] la autoridad de asambleas legislativas estatales de redactar constituciones y enmiendas (pág. 121)

constitution [constitución] conjunto de leyes que establecen la estructura, los principios y los poderes de un gobierno (pág. 7)

constitutionalism [constitucionalismo] principio de gobierno conducido de acuerdo con los principios que define la Constitución (pág. 17)

containment [contención] principio básico de la política exterior de los Estados Unidos después de la Segunda Guerra Mundial para prevenir la expansión del comunismo (pág. 87)

content neutral [neutral en contenido] política mediante la cual el gobierno reglamenta el poder de reunión sobre la base del horario, lugar y modo, y no sobre la base del motivo de la reunión (pág. 98)

continuing resolution [resolución de aplazamiento] resolución aprobada por el Congreso que, si es firmada por el Presidente, permite que las agencias gubernamentales sigan funcionando según la asignación presupuestaria del año anterior (pág. 83)

continuous body [organismo estable] término que se aplica al Senado, dado que sus miembros no son reemplazados electoralmente al mismo tiempo (pág. 50)

controllable spending [gastos ajustables] gastos del gobierno que pueden ser controlados por el Presidente y el Congreso (pág. 83)

copyright [derechos de autor] derechos exclusivos que tiene un autor de reproducir, publicar y vender su obra por un determinado periodo de tiempo (pág. 55)

council-manager government [gobierno de junta y administrador] forma de gobierno en la cual el ayuntamiento nombra un administrador de la ciudad (pág. 127)

county [condado] unidad principal del gobierno local en la mayoría de los estados (pág. 126)

court-martial [tribunal militar] tribunal compuesto por funcionarios militares, que juzga a los acusados de violar la ley militar (pág. 93)

criminal case [caso penal] caso judicial derivado, según el Congreso, de una violación de la ley federal (pág. 91)

criminal law [derecho penal] parte de la ley que identifica delitos contra la sociedad e impone castigos (pág. 123)

Cultural Revolution [Revolución Cultural] movimiento chino, liderado por Mao Zedong, en el cual elementos de la Guardia Roja atacaron maestros, intelectuales y todo aquel que no mostrara fervor por la revolución (pág. 114)

custom duty [arancel de aduanas] impuesto sobre la mercancía que llega a los Estados Unidos procedente de otro país (pág. 81)

D

de facto segregation [segregación de hecho] separación de un grupo de otro que existe pese a que no sea exigida por la ley (pág. 106)

de jure segregation [segregación *de jure*] separación de un grupo de otro que está ratificada por la ley (pág. 106)

defendant [acusado] persona contra la que se presenta una reclamación ante el tribunal (pág. 90)

deficit [déficit] falta de dinero que se genera al tomar regularmente prestado más dinero del que se ingresa (pág. 82)

deficit financing [financiación del déficit] resultado que se obtiene de gastar más de lo que ingresa anualmente, y endeudamiento resultante para compensar la diferencia (pág. 54)

delegate [delegado] representante del partido en una reunión o convención (pág. 12)

delegated power [poder delegado] poder específico que la Constitución le otorga al Gobierno Nacional (pág. 21)

democracy [democracia] forma de gobierno en el que la autoridad suprema reside en el pueblo (pág. 7)

denaturalization [privación de nacionalidad] proceso por el cual los ciudadanos estadounidenses que hayan obtenido la nacionalidad pueden perderla de forma involuntaria (pág. 108)

deportation [deportación] proceso legal por el cual los extranjeros son obligados por la ley a abandonar los Estados Unidos (pág. 108)

détente [distensión] política implantada por los Estados Unidos para mejorar sus relaciones, usada durante la guerra fría (pág. 87)

deterrence [disuasión] política utilizada por los Estados Unidos que consistió en acumular poderío militar para desalentar cualquier ataque contra su territorio o el de sus aliados (pág. 87)

devolution [transferencia de autonomía] proceso mediante al cual el gobierno central delega autoridad a los gobiernos regionales (pág. 110)

dictatorship [dictadura] forma de gobierno en el que una persona o un grupo reducido ejerce todos los poderes del gobierno y no son responsables frente al pueblo (pág. 7)

diplomatic immunity [inmunidad diplomática] principio básico de la ley internacional por el cual embajadores y otros diplomáticos no pueden ser procesados por las leyes del país que los acoge (pág. 85)

direct popular election [elección popular directa] plan electoral que elimina el colegio electoral y permite a los votantes la elección directa del Presidente y Vicepresidente (pág. 68)

direct primary [primaria directa] elección que se llevan a cabo dentro de un partido para escoger a sus candidatos para la función pública (pág. 36)

direct tax [impuesto directo] impuesto que paga directamente el ciudadano (pág. 54)

discharge petition [petición de liberación] petición que permite a los miembros del Congreso debatir un proyecto de ley que ha permanecido en un comité por 30 días (pág. 61)

discrimination [discriminación] prejuicio o injusticia en función de las características de una persona (pág. 101)

dissenting opinion [opinión disidente] documento escrito por uno o más jueces que están en desacuerdo con la opinión mayoritaria de la Corte Suprema (pág. 92)

dissolution [disolución] autoridad de destituir a la Cámara de Representantes (pág. 111)

district plan [plan por distritos] plan electoral reformista en el que dos electores de cada estado serían elegidos en todo el territorio del estado y emitirían su voto en función de los resultados del voto popular; los otros electores serían elegidos por separado, en cada distrito legislativo del estado (pág. 68)

division of powers [división de poderes] principio que reparte el poder gubernamental entre ramas o niveles de gobierno (págs. 7, 21)

docket [carga de casos] lista de todos los casos pendientes que deben ser vistos ante un tribunal (pág. 91)

doctrine [doctrina] principio o idea fundamental (pág. 56)

domestic affairs [asuntos domésticos] asuntos internos que afectan a un país (págs. 76, 85)

double jeopardy [doble enjuiciamiento] posibilidad de ser juzgado dos veces por un delito, prohibida por la 5ª enmienda (pág. 102)

draft [conscripción] práctica de los gobiernos por la cual las personas deben servir en las fuerzas militares del país (pág. 86)

due process [debido procedimiento legal] garantía constitucional que protege la vida, la libertad o la propiedad de las personas contra cualquier acto injusto del gobierno (pág. 100)

Due Process Clause [Cláusula de Debido Procedimiento Legal] cláusula de la 5ª y 14ª enmienda de la constitución de los EE.UU. que garantiza el trato justo de los ciudadanos por parte del gobierno (pág. 95)

E

economic protest parties [partidos de protesta económica] partidos que aparecen durante las épocas de dificultades financieras (pág. 28)

electoral college [colegio electoral] grupo de personas elegido por cada estado y el Distrito de Columbia cada cuatro años para elegir formalmente al Presidente y al Vicepresidente (págs. 19, 66)

electoral votes [votos electorales] votos que emiten los electores presidenciales para elegir formalmente al Presidente y al Vicepresidente (pág. 66)

electorate [electorado] individuos con derecho a voto (págs. 27, 31, 68)

eminent domain [dominio eminente] autoridad del Gobierno Federal de usar terrenos privados para el interés público (pág. 55)

enabling act [ley de autorización] ley aprobada por el Congreso mediante la cual se permite la redacción de una constitución para una región que solicita ingreso como estado (pág. 22)

English Bill of Rights [Declaración de Derechos y Libertades Inglesa] documento firmado por el rey en 1689 que limitó los poderes del rey y garantizó los derechos del pueblo inglés (pág. 11)

engrossed [pasado en limpio, pasar en limpio] redactar un proyecto de ley en su versión final (pág. 61)

entitlement [asistencia social por derecho] pagos del gobierno a aquellas personas que tienen derecho a ellos según la ley federal (págs. 83, 128)

entrepreneur [empresario] persona que combina los factores de producción para producir bienes y ofrecer servicios (pág. 116)

espionage [espionaje] el acto de espiar (pág. 86)

Establishment Clause [Cláusula sobre Instituciones] cláusula de la 1ª enmienda que establece que el Estado no puede establecer una religión oficial o promover una religión determinada (pág. 96)

estate tax [impuesto sucesorio] impuesto sobre la propiedad y el dinero de una persona que ha fallecido (págs. 81, 129)

ex post facto law [ley posterior a los hechos] ley que convierte en delito una determinada acción, y luego castiga a un acusado por haber cometido tal acción antes de que se aprobara la ley (pág. 102)

excise tax [impuesto interno] impuesto sobre la fabricación, venta y uso de ciertos bienes y servicios (pág. 81)

exclusionary rule [regla de exclusión] norma que establece que la evidencia que se recoja mediante una acción policial ilegal, no podrá ser utilizada en contra de la persona de quien haya sido obtenida (pág. 101)

exclusive jurisdiction [jurisdicción exclusiva] situación en la que sólo los tribunales federales tienen la autoridad para tratar un caso en particular (pág. 90)

exclusive power [poder exclusivo] poder ejercido únicamente por el Gobierno Nacional (pág. 21)

executive agreement [acuerdo ejecutivo] pacto entre el Presidente y el jefe de estado de otro país, que no depende de la aprobación del Senado (págs. 19, 72)

Executive Article [Artículo Ejecutivo] Artículo II de la Constitución que le otorga el poder ejecutivo de los Estados Unidos al Presidente (pág. 70)

executive department [departamento ejecutivo] una de las 14 oficinas tradicionales de la administración federal, llamada también departamento del Gabinete, donde opera el Gobierno Federal. (pág. 77)

Executive Office of the President (EOP) [Oficina Ejecutiva del Presidente] compleja organización de agencias integrada por la mayoría de los asesores y asistentes más próximos al Presidente (pág. 76)

executive order [orden ejecutiva] norma emitida por el Presidente que tiene el mismo peso que una ley (pág. 71)

executive power [poder ejecutivo] poder gubernamental para poner en práctica y aplicar las leyes (pág. 7)

expatriation [expatriación] proceso mediante el que un individuo puede renunciar a su nacionalidad voluntariamente (pág. 108)

expressed power [poder explícito] poder enunciado en la Constitución (págs. 21, 53)

extradition [extradición] proceso legal mediante el cual la policía de un estado devuelve a los acusados de delitos en otro estado para que sean juzgados en él (pág. 23)

F

faction [facción] grupo con ideología discrepante (pág. 27)

factors of production [factores de producción] los recursos básicos (tierra, trabajo y capital) que se utilizan para fabricar bienes y ofrecer servicios (pág. 116)

federal budget [presupuesto federal] estimación detallada del dinero que va a recibir y gastar el Gobierno Federal durante el año siguiente (pág. 76)

federal government [gobierno federal] gobierno cuyo poder se halla dividido entre un gobierno central y diversos gobiernos locales (pág. 8)

federalism [federalismo] sistema de gobierno en que se reparte el poder entre un gobierno central y los estados del país (págs. 17, 21)

Federalist [federalista] persona a favor de ratificar la Constitución en 1787–1788 (pág. 15)

felony [delito grave] un delito serio que se sanciona con sentencias y multas fuertes (pág. 123)

filibuster [obstrucción] táctica mediante la cual un senador puede retrasar la actuación del Senado hablando sin cesar en contra de un proyecto de ley (pág. 62)

fiscal year [año fiscal] periodo de 12 meses que se calcula para un presupuesto (pág. 76)

five-year plan [plan quinquenal] en una economía de planificación centralizada, el plan económico elaborado por los líderes que presenta el desarrollo que pretenden lograr en un periodo de 5 años (pág. 118)

floor leader [dirigente de la sala] portavoz principal de un partido que precede la cámara y es responsable por la aprobación de las leyes que propone el partido (pág. 59)

foreign affairs [asuntos exteriores] acontecimientos que suceden como parte de las relaciones de un país con otros países (pág. 85)

foreign aid [ayuda a países extranjeros] asistencia económica y militar que una nación proporciona a otras como parte de un plan para promover los objetivos de su política exterior (pág. 88)

foreign policy [política exterior] las acciones, posiciones y declaraciones de un gobierno con respecto a otros países (pág. 85)

formal amendment [enmienda formal] cambio del texto escrito de la Constitución (pág. 18)

Framers [artífices] representantes de las colonias que redactaron la Constitución (pág. 14)

franchise [derecho al voto] derecho que tienen las personas para votar (pág. 31)

franking privilege [privilegio postal] derecho que tienen los congresistas de enviar correo sin ponerle estampillas (pág. 51)

free enterprise system [sistema de libre comercio] sistema económico, también llamado capitalismo, que está basado en la libre competencia de la actividad económica, sin mucha intervención del gobierno (págs. 9, 116)

Free Exercise Clause [Cláusula de Libre Ejercicio] cláusula de la 1ª enmienda que garantiza el derecho de cualquier individuo a rendir el culto religioso que desee (pág. 96)

Full Faith and Credit Clause [Cláusula de Plena Fe y Confianza] Artículo IV, Sección 1 de la Constitución, que indica que toda documentación y decisión legal de un estado debe ser válida en el resto de los estados (pág. 23)

fundamental law [derecho fundamental] leyes de importancia básica y duradera que no se pueden cambiar fácilmente (pág. 120)

G–H–I

gender gap [brecha entre los sexos] diferencia en la conducta electoral de los hombres y de las mujeres (pág. 34)

general election [elección general] elección en que los votantes escogen a quienes ocuparán los cargos públicos (pág. 36)

gerrymandering [manipulaciones de distritos] divisiones injustas de los distritos electorales que benefician a un partido político (págs. 33, 49)

gift tax [impuesto sobre donaciones y legados] contribución que se debe pagar sobre regalos que superan los $10,000 (pág. 81)

***glasnost* [glasnost]** política de apertura de la Unión Soviética (pág. 113)

Gosplan [Gosplan] agencia creada por Stalin en la Unión Soviética, que se ocupaba de la planificación centralizada de la economía (pág. 118)

government [gobierno] institución mediante la cual una sociedad elabora y hace cumplir sus políticas públicas (pág. 7)

government corporation [corporación gubernamental] agencia independiente dentro de la rama ejecutiva, bajo el control y la dirección del Presidente, establecida por el Congreso para llevar a cabo ciertas actividades empresariales (pág. 78)

grand jury [gran jurado] grupo de personas citadas por un tribunal para determinar si hay suficientes pruebas para acusar a una persona de un delito (pág. 102)

grants-in-aid program [programa de subsidios estatales] fondos proporcionados por el Gobierno Federal a los estados para un fin determinado (pág. 22)

grass roots [popular] organizado por la persona "común" o el votante (pág. 46)

Great Leap Forward [Gran Salto hacia Adelante] plan quinquenal realizado en China en 1958 como un intento drástico de modernizar el país por medio de la eliminación de todos los elementos del libre mercado (pág. 118)

guarantee of association [garantía de asociación] derecho a reunirse con otras personas para promover causas políticas, económicas y sociales (pág. 98)

hard money [contribución directa] dinero donado a las campañas que debe ser regulado por la Comisión Federal de Elecciones (pág. 38)

heterogeneous [heterogéneo] compuesto de una mezcla de razas, antecedentes familiares o tipo (pág. 105)

ideological party [partido ideológico] partido basado en ideas de índole social, económico y político (pág. 28)

immigrant [inmigrante] persona que viene a un país como residente permanente legal (pág. 105)

impeach [residenciar] presentar acusaciones contra cualquier funcionario civil con el fin de removerlo del cargo público (pág. 57)

imperial presidency [presidencia imperial] término que refiere a un presidente que se comporta como un emperador, actuando sin consultar al Congreso o recibir la aprobación del mismo —a veces actuando en secreto para evadir o engañar al Congreso (pág. 70)

implied power [poder implícito] poder sugerido por otro poder que se enuncia específicamente en la Constitución (págs. 21, 53)

income tax [impuesto sobre la renta] impuesto sobre ingresos de ciudadanos o impuesto colectivo (pág. 129)

incorporation [incorporación] proceso mediante el cual un estado establece una ciudad como organismo legal; las leyes básicas y los estatutos que se establecen en la constitución de cada estado (pág. 127)

incumbent [candidato en ejercicio] candidato que ocupa un cargo público (pág. 27)

independent [independiente] votante que no se identifican con ningún partido (pág. 34)

independent agency [agencia independiente] organización gubernamental que funciona fuera de los departamentos ejecutivos, que lleva a cabo parte de la labor del gobierno (pág. 78)

independent executive agency [agencia ejecutiva independiente] agencia independiente que no tiene el rango de gabinete, pero que cuenta con miles de empleados, un presupuesto considerable e importantes funciones públicas (pág. 78)

independent regulatory commission [comisión reguladora independiente] agencia independiente que se encuentra al margen de control del Presidente y que regula aspectos importantes de la economía nacional (pág. 78)

indictment [acta de acusación] denuncia formal presentada frente a un gran jurado (pág. 102)

indirect tax [impuesto indirecto] impuesto que paga primero una persona y después se transfiere a otras (pág. 54)

inferior court [tribunal inferior] corte de menor rango que la Corte Suprema (pág. 90)

informal amendment [enmienda informal] cambio a la Constitución que no altera el texto de la misma (pág. 19)

information [denuncias] veredicto formal decidido por un juez, sin contar con ningún jurado; usado en casos de delitos menores (pág. 123)

inherent power [poder inherente] poder que se ejerce debido a que algo es como es; un gobierno nacional tiene ciertos poderes porque gobierna a una nación (págs. 21, 53)

inheritance tax [impuesto a la herencia] impuesto que deben pagar los herederos sobre la parte de la herencia que les corresponda (pág. 129)

initiative [iniciativa] proceso por el cual un determinado número de votantes pueden proponer un decreto, una ley o una enmienda (pág. 120)

injunction [mandato judicial] orden de un tribunal para hacer o detener algo (pág. 33)

integration [integración] proceso mediante el cual un grupo pasa a formar parte de la sociedad (pág. 106)

interest [interés] cantidad que se paga por tomar dinero prestado (pág. 82)

interest group [grupo de interés] organización privada cuyos miembros comparten ciertas ideas y trabajan para influenciar las políticas públicas (págs. 41, 44)

interstate compact [convenio interestatal] acuerdo formal entre dos o más estados (pág. 23)

involuntary servitude [servidumbre involuntaria] trabajo forzado (pág. 101)

isolationism [aislacionismo] política que consiste en negarse a intervenir en asuntos extranjeros; forma de política exterior de los Estados Unidos antes de la Segunda Guerra mundial (pág. 85)

item veto [veto de partidas] poder que tiene la mayoría de los gobernadores de vetar uno o más artículos de un proyecto de ley sin tener que vetar el proyecto en su totalidad (pág. 122)

J–K

Jim Crow law [ley de Jim Crow] ley que segregaba a los afroamericanos de los blancos por razones de raza (pág. 106)

joint committee [comité conjunto] comité formado por miembros de ambas cámaras del Congreso (pág. 60)

joint resolution [resolución conjunta] resolución aprobada por ambas cámaras del Congreso y que tiene carácter de ley (pág. 61)

judicial power [poder judicial] poder gubernamental de interpretar las leyes y resolver disputas en una sociedad (pág. 7)

judicial review [revisión judicial] autoridad para decidir si un acto de gobierno está en conformidad con la Constitución (pág. 17)

jurisdiction [jurisdicción] autoridad de un tribunal para tratar un caso (pág. 90)

jury [jurado] cuerpo de personas seleccionadas según la ley para escuchar y presenciar pruebas y testimonios en un caso judicial; en el sistema judicial estadounidense, hay dos tipos de jurados —gran jurado y jurado (pág. 123)

jus sanguinis [*jus sanguinis*] "derecho de sangre"; principio por el que una persona que nazca en el extranjero es ciudadana estadounidense si su padre o madre es estadounidense (pág. 108)

jus soli [*jus soli*] "derecho de territorio"; principio por el que una persona es ciudadana de un país por haber nacido en su territorio (pág. 108)

Justice of the Peace [juez de paz] juez que precede el tribunal de menor instancia en el sistema judicial de un estado (pág. 124)

keynote address [discurso principal] discurso inaugural de la convención nacional de un partido político que define el carácter de la convención y de la campaña presidencial (pág. 67)

L

labor union [sindicato] grupo de interés cuyos miembros tienen el mismo oficio o profesión o trabajan en el mismo sector industrial o comercial (pág. 45)

laissez-faire theory [teoría del laissez-faire] teoría que establece que el gobierno debe intervenir de forma limitada en los asuntos de la sociedad (pág. 116)

laws of supply and demand [leyes de la oferta y la demanda] principio económico que enuncia que el precio de un artículo está determinado por su disponibilidad y demanda en el mercado (págs. 9, 116)

legal tender [moneda de curso legal] todo dinero que se acepta como pago de una deuda (pág. 54)

legislative power [poder legislativo] poder gubernamental de crear leyes y determinar las políticas públicas (pág. 7)

libel [difamación por escrito] difusión de falsas acusaciones malintencionadamente mediante un texto impreso (pág. 97)

liberal constructionist [intérprete liberal] persona que interpreta la Constitución de manera amplia (pág. 53)

limited government [gobierno limitado] idea que refiere a un gobierno que ejerce sólo el poder que el pueblo le delega (págs. 11, 120)

line agency [agencia de operaciones] tipo de oficina administrativa que realiza las tareas de una organización (pág. 75)

line-item veto [veto de partidas presupuestarias] proceso mediante el cual el Presidente puede desaprobar parte de un proyecto de ley, en vez de su totalidad (pág. 73)

literacy [alfabetismo] capacidad de leer y escribir (pág. 32)

lobbying [cabildeo] intento de persuadir a los funcionarios del gobierno para que apoyen ciertas causas o ideas (pág. 46)

M–N–O

magistrate [magistrado] juez que precede un juzgado de paz y que trata casos civiles o delitos de menor importancia en zonas urbanas (pág. 124)

Magna Carta [Carta Magna] documento de 1215 mediante el cual el rey británico aceptó por primera vez la idea de gobierno limitado (pág. 11)

major party [partido mayoritario] partido dominante con apoyo importante; republicanos y demócratas en política estadounidense (pág. 25)

majority opinion [opinión mayoritaria] decisión escrita de un grupo de jueces en la que presentan la postura oficial del tribunal (pág. 92)

mandate [mandato] instrucciones que un funcionario electo alega haber recibido de los votantes que lo apoyan, para llevar a cabo sus promesas electorales (pág. 41)

market economy [economía de mercado] economía basada en principios capitalistas (pág. 117)

mass media [medios de comunicación] métodos utilizados para difundir información de forma simultánea a audiencias de gran tamaño y ampliamente dispersas (págs. 40, 70)

mayor-council government [gobierno de alcaldía y junta] forma de gobierno municipal en el que un alcalde (a veces con muchos poderes, otras con menos) y una junta forman las ramas ejecutivas y legislativa (pág. 127)

Medicaid [Medicaid] programa conjuntamente administrado por el estado y el Gobierno Federal, que provee seguro médico a familias de bajos ingresos (pág. 128)

medium [medio] método o vía de comunicación (pág. 42)

mestizo [mestizo] persona de raza española o portuguesa e indígena (pág. 112)

metropolitan area [zona metropolitana] ciudad y sus alrededores (pág. 127)

minister [ministro] miembro del gabinete británico (pág. 110)

minor party [partido minoritario] partido de menor apoyo en un sistema de gobierno (pág. 26)

Miranda Rule [norma Miranda] regla que exige que la policía les lea una serie de derechos a los detenidos antes de iniciar un interrogatorio (pág. 102)

misdemeanor [delito menor] ofensa leve (pág. 123)

mixed economy [economía mixta] sistema económico en el que los individuos toman muchas decisiones de índole económica, mientras que el gobierno de la nación interviene en la economía, regulándola e incentivándola (pág. 9)

monarchy [monarquía] gobierno cuya sucesión es hereditaria (pág. 110)

monopoly [monopolio] única compañía que provee un producto o servicio en el mercado (pág. 116)

multiparty [multipartidista] sistema político en el que compiten dos o más partidos mayoritarios (pág. 26)

national bonus plan [plan nacional de votos adicionales] plan electoral reformista que adjudicaría la victoria al candidato que obtuviera la mayor parte del voto popular (pág. 68)

national convention [convención nacional] reunión en la que los delegados del partido votan a sus candidatos por la presidencia y la vicepresidencia (pág. 67)

nationalization [nacionalización] adquisición gubernamental de la industria privada para uso público (pág. 112)

naturalization [naturalización] proceso legal mediante el cual los ciudadanos de un país se convierten en ciudadanos de otro (págs. 55, 108)

Necessary and Proper Clause [Cláusula de Necesidad y Procedencia] cláusula de la Constitución que le otorga al Congreso todo el poder de considerar sus leyes "necesarias y procedentes" de manera de poder llevar a cabo su función (pág. 56)

New Jersey Plan [Plan de Nueva Jersey] plan de gobierno apoyado por los estados pequeños en la convención constitucional (pág. 14)

nomination [nominación] elección de los candidatos a cargos públicos (pág. 36)

nonpartisan elections [elecciones no partidistas] elecciones en las que los candidatos no se identifican con ningún partido (pág. 36)

North American Free Trade Agreement (NAFTA) [Tratado de Libre Comercio de América del Norte (TLCAN)] acuerdo que remueve las restricciones comerciales entre EE.UU., Canadá y México, incrementando de este modo el comercio trasnacional (pág. 112)

oath of office [juramento de cargo] promesa que hace el Presidente durante la toma de posesión de su cargo, la cual le otorga poderes para ejecutar la ley (pág. 71)

off-year election [elección intermedia] una elección del Congreso que se lleva a cabo en los años pares entre elecciones presidenciales (págs. 34, 49)

oligarchy [oligarquía] forma de gobierno en la que una pequeña élite o grupo selecto acapara el poder para gobernar (pág. 8)

one-party system [sistema unipartidista] sistema político en el que sólo un solo partido puede ganar las elecciones (pág. 26)

open primary [primaria abierta] elección para elegir a los candidatos de un partido en las que cualquier votante registrado puede votar (pág. 36)

opinion leader [personalidad] individuo que tiene una gran influencia sobre lo que piensan los demás (pág. 40)

ordinance power [poder de decretar] autoridad que ostenta el Presidente para emitir órdenes ejecutivas otorgadas por la Constitución, y actos legislativos (pág. 71)

original jurisdiction [jurisdicción de primera instancia] autoridad que tiene un tribunal para tratar primero un caso (pág. 90)

oversight function [función supervisora] función de los comités del Congreso por la cual éste se asegura de que el poder ejecutivo esté funcionando de forma efectiva, de acuerdo con las leyes establecidas (pág. 51)

P–Q

pardon [indulto] perdón legal por un delito (págs. 73, 122)

parliamentary government [gobierno parlamentario] gobierno en el que la rama ejecutiva es elegida y controlada por la rama legislativa (pág. 8)

parochial [privada religiosa] vinculada con una iglesia (pág. 96)

parole [libertad condicional] liberación de un preso antes de cumplir su sentencia (pág. 122)

partisan [partidista] una de las funciones que asumen los miembros del Congreso durante las votaciones sobre los proyectos de ley, por la que votan según la opinión de su partido (pág. 51)

partisanship [partidismo] que siente una sólida lealtad por su partido (pág. 25)

party caucus [asamblea electoral del partido] reunión privada que hacen los representantes de cada partido político que están en la cámara (pág. 59)

party identification [identificación con un partido] lealtad que se tiene a un determinado partido político (pág. 34)

party in power [partido en el poder] partido que controla la rama ejecutiva del gobierno federal o de los diferentes gobiernos estatales (pág. 25)

patent [patente] permiso que le otorga a un inventor el derecho exclusivo a fabricar, utilizar o vender "todo trabajo artístico, máquina o producto manufacturado nuevo y útil, (...) o cualquier mejora nueva y útil" (pág. 55)

patronage [favoritismo] práctica de conceder puestos en el gobierno a los seguidores o amigos (pág. 79)

payroll tax [impuesto sobre la nómina] impuesto que los empresarios retienen de los sueldos y envían al gobierno (pág. 81)

peer group [grupo paritario] grupo de gente que se reúne regularmente, como los amigos, vecinos, compañeros de clase y colegas de trabajo, con el que se suelen compartir ideas políticas similares (pág. 40)

***perestroika* [perestroika]** política de reestructuración de la vida económica y política de la Unión Soviética (pág. 113)

perjury [perjurio] mentir bajo juramento (pág. 57)

***persona non grata* [persona *non grata*]** persona cuya presencia no es deseable en un país; suele aplicarse a diplomáticos expulsados de un país para expresar el fuerte descontento de esa nación con la nación de origen de la persona (pág. 72)

Petition of Right [Petición de Derechos] documento que decretó que el monarca no podía usar al ejército para gobernar en tiempo de paz, ni permitir que los soldados vivieran en los hogares de la gente (pág. 11)

picketing [piquetear] desfilar los huelguistas por las inmediaciones de una empresa (pág. 97)

plaintiff [demandante] persona que plantea un caso ante el tribunal (pág. 90)

platform [plataforma] programa de principios y objetivos que cada partido adopta para la convención nacional (pág. 67)

pluralistic society [sociedad pluralista] una sociedad integrada por culturas y grupos distintos (pág. 26)

plurality [mayoría relativa] la diferencia en votos que obtiene el ganador de unas elecciones con respecto al rival que más se le acerca (pág. 26)

pocket veto [veto de hecho] acción que invalida un proyecto de ley si el Congreso levanta su sesión antes de que finalice el plazo de diez días que tiene el Presidente para aprobarlo (pág. 62)

police power [fuerza policial] autoridad que los estados tienen para proteger y fomentar la salud pública, la seguridad, la moralidad y el bienestar general de los ciudadanos; los estados están obligados a utilizarla cumpliendo el debido procedimiento legal (págs. 100, 121)

political action committee (PAC) [comité de acción política] brazo político de los grupos de intereses especiales (pág. 38)

political asylum [asilo político] derecho que tienen las personas perseguidas por razones políticas en su país de origen de vivir en un lugar seguro (pág. 86)

political efficacy [poder político] la capacidad de afectar al resultado de unas elecciones (pág. 34)

political party [partido político] un grupo de personas que tratan de acceder al gobierno ganando las elecciones y ocupando puestos públicos (pág. 25)

political socialization [socialización política] proceso mediante el cual la gente desarrolla sus tendencias y opiniones sobre la política (pág. 34)

politico [político] una de las funciones que asumen los miembros del Congreso durante las votaciones sobre proyectos de ley, por la que consideran los méritos de cada proyecto, los deseos de su electorado y la opinión de su partido (pág. 51)

poll books [padrones electorales] listas de votantes inscritos de las que se encargan los funcionarios electorales locales, quienes las revisan periódicamente para actualizarlas (pág. 32)

poll tax [impuesto electoral] tarifa que solía imponerse a los votantes para que pudieran votar (pág. 32)

polling place [mesa electoral] lugar al que acuden los votantes para votar; se encuentra dentro o cerca de una circunscripción (pág. 37)

popular sovereignty [soberanía popular] principio que establece que un gobierno puede existir sólo con el consentimiento del pueblo gobernado, y que el pueblo es la fuente de donde sale todo el poder del gobierno (págs. 12, 120)

Preamble [Preámbulo] introducción de la Constitución (pág. 17)

precedent [precedente] un ejemplo para futuros casos similares que se sienta con cada opinión judicial (págs. 92, 123)

precinct [circunscripción] distrito electoral que es una subdivisión de un barrio (págs. 29, 37)

preclearance [preautorización] el derecho que tiene el Departamento de Justicia a aprobar preliminarmente toda nueva ley electoral para impedir que las leyes debiliten los derechos al voto de las minorías (pág. 33)

prefecture [prefectura] subdivisión política de la sociedad japonesa (pág. 111)

preliminary hearing [audiencia preliminar] primer paso de un juicio grave, en el cual el juez decide si existen pruebas suficientes para retener a un acusado y remitirlo al Gran Jurado o a la fiscalía (pág. 124)

president of the Senate [Presidente del Senado] función que cumple el Vicepresidente de los Estados Unidos, supervisando las sesiones del Senado sin someter asuntos a debate ni votar, a menos que se produzca un empate (pág. 59)

president *pro tempore* [presidente interino] miembro que preside el Senado en ausencia del Vicepresidente (pág. 59)

presidential electors [electores presidenciales] integrantes del colegio electoral, que eligen formalmente al Presidente y al Vicepresidente en nombre del electorado (pág. 66)

presidential government [gobierno presidencial] gobierno que divide el poder entre su rama legislativa y su rama ejecutiva (pág. 8)

presidential primary [primaria presidencial] elecciones del partido celebradas en muchos estados para ayudar a escoger a los delegados que irán a las convenciones nacionales (pág. 67)

presidential succession [sucesión presidencial] proceso mediante el cual se cubre el puesto vacante de Presidente (pág. 65)

Presidential Succession Act of 1947 [Ley de Sucesión Presidencial de 1947] ley que estipula que si el puesto de Presidente queda vacante y el Vicepresidente no puede asumir la presidencia, el presidente de la Cámara de Representantes y el presidente interino del Senado son los siguientes funcionarios en la línea de sucesión (pág. 65)

presiding officer [presidente] dirigente de una organización o gobierno (pág. 13)

preventive detention [arresto preventivo] derecho que tiene un juez federal para retener en prisión sin fianza a los acusados de delitos graves siempre que exista un motivo para sospechar que podrían cometer más delitos antes de ser juzgados (pág. 103)

prior restraint [restricción previa] la supresión por parte del gobierno de determinadas ideas antes de que sean expresadas (pág. 97)

privatization [privatización] regreso de la titularidad de empresas nacionalizadas a propietarios privados (pág. 118)

Privileges and Immunities Clause [Cláusula de Privilegios e Inmunidades] cláusula de la Constitución que indica que ningún estado puede discriminar a nadie que viva en otro estado, y que debe reconocer el derecho que tiene cualquier estadounidense a viajar por dicho estado, comerciar o residir en él (pág. 23)

probable cause [causa probable] sospecha razonable de que ha ocurrido un delito (pág. 101)

procedural due process [debido procedimiento procesal] los métodos justos mediante los cuales debe funcionar el gobierno (pág. 100)

process of incorporation [proceso de incorporación] proceso por el cual la Corte Suprema ha incluido la mayoría de las garantías de la Declaración de Derechos en la Cláusula del Debido Procedimiento Legal (pág. 95)

progressive tax [impuesto progresivo] tipo de impuesto por el que cuanto mayores son los ingresos, mayor es el impuesto a pagar (págs. 81, 129)

project grants [subsidios por proyecto] dinero que el Gobierno Nacional les adjudica a los estados, a las localidades o a las entidades privadas que lo solicitan (pág. 22)

proletariat [proletariado] nombre dado a los trabajadores del sistema capitalista por la teoría de Karl Marx (pág. 117)

propaganda [propaganda] técnica de persuasión que tiene como finalidad influenciar los comportamientos individuales o colectivos para formar creencias que pueden ser ciertas, falsas en su totalidad o parcialmente ciertas (pág. 46)

property tax [impuesto sobre la propiedad] impuesto sobre bienes reales como la tierra o la propiedad privada, incluyendo cuentas bancarias (pág. 129)

proportional plan [plan proporcional] plan electoral reformista por el que cada candidato recibiría una proporción del voto electoral de cada estado igual a la proporción que obtuvo del voto popular de ese estado (pág. 68)

proportional representation [representación proporcional] método electoral durante las primarias que les otorga una parte proporcional de los votos de los delegados a cada candidato que obtiene un mínimo de un 15 por ciento de los votos en la primaria (pág. 67)

proprietary [propiedad] colonia organizada por un amo al que el rey le había cedido tierras (pág. 11)

prorogue [prorrogar] poder del Presidente (que hasta ahora no se ha utilizado) para levantar una sesión del Congreso si las dos cámaras no se ponen de acuerdo en cuanto a la fecha en que van a levantarla (pág. 48)

public affairs [asuntos de interés público] los temas sobre el gobierno y sobre la política que afectan al público en general (págs. 40, 44)

public agenda [agenda pública] los asuntos públicos sobre los que la gente suele hablar y pensar (pág. 42)

public debt [deuda pública] la cantidad total de dinero que debe un gobierno (págs. 54, 82)

public opinion [opinión pública] el conjunto de actitudes de un sector importante de personas en cuanto a los asuntos de interés público (pág. 40)

public opinion poll [encuesta de opinión pública] método para sondear la opinión pública en que se recopila información mediante una serie de preguntas (pág. 41)

public policy [política pública] meta que un gobierno se fija y acciones que lleva a cabo para convertirla en realidad (págs. 7, 44)

public-interest group [grupo de defensa de los intereses públicos] grupo que fomenta el bienestar público y que trata de representar a todos los habitantes del país en lo que concierne a asuntos específicos que los afectan a todos (pág. 45)

purge [actualizar, purgas] poner al día (pág. 32); en el caso del padrón electoral, eliminando los nombres de aquellos ciudadanos que ya no tengan derecho a votar (pág. 113)

quasi-judicial [cuasi judiciales] con ciertos poderes para resolver disputas en determinados campos en que el Congreso les ha otorgado autoridad supervisora (pág. 78)

quasi-legislative [cuasi legislativas] con ciertos poderes para elaborar normas con el mismo peso de una ley (pág. 78)

quorum [quórum] la cantidad mínima de miembros presentes necesarios de un grupo para tomar una decisión o acción (págs. 15, 61)

quota [cuota] norma que determina las cantidades de puestos de trabajo o de ascensos que deben asignarse a los distintos grupos que han sido discriminados en el pasado (pág. 107)

quota sample [muestra por cuotas] porción de la población que se va a encuestar que deliberadamente refleja varias de las características principales de un grupo determinado (pág. 41)

R

random sample [muestra aleatoria] una muestra en la que todos los miembros de la población a encuestarse tengan las mismas posibilidades de ser elegidos (pág. 41)

ratify [ratificar] aprobar formalmente (pág. 13)

reapportion [redistribuir los escaños] nueva repartición de los escaños o puestos de cada estado en la Cámara de Representantes que se hace cada diez años, cuando hay un censo (pág. 49)

recall [mediante destitución por voto popular] un proceso de petición en que los votantes pueden remover un oficial antes del fin de su mandato (pág. 122)

recognition [reconocimiento] práctica diplomática en la cual el gobierno de una nación reconoce la existencia legal del gobierno de otra (pág. 72)

redress [reparación por daños] compensación ante una demanda, generalmente en la forma de un pago (pág. 93)

referendum [referéndum] proceso mediante el cual una medida legislativa se presenta a votación ante el electorado para que la apruebe o la rechace (pág. 121)

refugee [refugiado] persona que ha tenido que abandonar su país para protegerse de un peligro (pág. 105)

regional security alliance [alianza regional para la seguridad] pacto de colaboración entre los Estados Unidos y otro país basado en un tratado de mutua defensa, donde los países se comprometen a actuar de forma colectiva para afrontar agresiones que surjan en una zona determinada del planeta (pág. 88)

register [registro] lista de solicitantes cualificados que tiene la Oficina de Administración de Personal para examinar y contratar de manera justa a los trabajadores federales (pág. 79)

registration [inscripción] acto de apuntarse en las listas de los funcionarios electorales locales (pág. 32)

regressive tax [impuesto regresivo] tipo de impuesto en que la tasa es igual para todos los contribuyentes (págs. 81, 129)

repeal [revocar] anular una regulación (pág. 12)

representative government [gobierno por representación] idea fundamental sobre el gobierno que significa que el gobierno debe servir al pueblo (pág. 11)

reprieve [aplazamiento] acción del Presidente que consiste en dejar para más adelante la ejecución de una condena (págs. 73, 122)

reservation [reserva] terrenos públicos destinados a alojar a las distintas tribus indígenas estadounidenses (pág. 105)

reserved power [poder reservado] poder que tiene cada uno de los 50 estados y que no ha sido otorgado al Gobierno Nacional (pág. 21)

resolution [resolución] medida que aprueba una de las cámaras del Senado y que no tiene tanto peso como una ley (pág. 61)

revenue sharing [participación en los ingresos públicos] porción de la recaudación de impuestos federales que el Congreso les otorgó a los estados y a sus gobiernos locales entre 1972 y 1987 (pág. 22)

reverse discrimination [discriminación a la inversa] fenómeno que hace que se discrimine a un grupo mayoritario (pág. 107)

rider [anexo] una propuesta que cuenta con pocas posibilidades de ser aprobada por sí sola; por ello, se adjunta a un proyecto de ley de tema distinto que tenga buenas probabilidades de ser aprobado (pág. 61)

right of legation [derecho de legación] derecho que la ley internacional confiere a todas las naciones de enviar y recibir representantes diplomáticos (pág. 85)

rule of law [imperio de la ley] principio al que los funcionarios del gobierno están sujetos, que significa que siempre deben obedecer las leyes y en ningún caso se les considera por encima de ellas (pág. 17)

runoff primary [primaria eliminatoria] elecciones para escoger a los candidatos de un partido que se celebran si ninguno de los candidatos logra obtener más de la mitad de los votos; en ella se decide el vencedor entre los dos aspirantes que hayan obtenido un mayor número de votos inicialmente (pág. 36)

S

sales tax [impuesto sobre la venta] impuesto que debe pagar el consumidor cuando compra determinados artículos (pág. 129)

sample [muestra] porción representativa del sector de la población que se desea encuestar (pág. 41)

search warrant [orden de cateo] dictamen judicial que otorga permiso para buscar algo (pág. 100)

secretary [secretario] máximo responsable de un departamento ejecutivo, que actúa como nexo entre el Presidente y las suboficinas de su departamento; es escogido por el Presidente y debe ser aprobado por el Senado (pág. 77)

sectionalism [regionalismo] devoción por los intereses de una región en particular (pág. 27)

sedition [sedición] delito que consiste en tratar de derrocar u obstaculizar la labor de un gobierno mediante el uso de la fuerza o de acciones violentas (pág. 97)

seditious speech [discurso sedicioso] el instar a que se trate de derrocar u obstaculizar la labor de un gobierno mediante el uso de la fuerza o de acciones violentas; no está protegido por la 1ª enmienda (pág. 97)

segregation [segregación] la separación de un colectivo de otro grupo (pág. 106)

select committee [comité selecto] grupo establecido en el Congreso para un propósito específico y generalmente temporal, como puede ser una investigación (pág. 60)

senatorial courtesy [cortesía senatorial] costumbre por la cual el Senado no aprueba un nombramiento por parte del Presidente en un estado si algún senador del partido del Presidente se opone al nombramiento (pág. 19)

seniority rule [norma de antigüedad] costumbre que otorga los puestos más importantes en el Congreso a los miembros del partido que cuentan con mayor experiencia (pág. 59)

separate-but-equal doctrine [doctrina "separados pero iguales"] razonamiento que utilizó la Corte Suprema en 1896 para dictaminar que la existencia de instalaciones distintas de teóricamente la misma calidad para los blancos y los afroamericanos era constitucional (pág. 106)

separation of powers [separación de poderes] principio que establece tres ramas distintas, o poderes, que se reparten la autoridad del gobierno; estas ramas son el poder ejecutivo, el poder legislativo y el poder judicial (pág. 17)

session [sesión] periodo de reuniones del Congreso (pág. 48)

shadow cabinet [consejo de gobierno en la sombra] gabinete en potencia que nombran los partidos de oposición en Gran Bretaña para que esté listo para gobernar, en caso de que el partido acceda al poder (pág. 110)

shield law [ley de protección al periodista] ley por las cual los periodistas gozan de cierta protección ante su obligación de revelar sus fuentes, o de divulgar otros datos confidenciales en procedimientos legales (pág. 97)

single-interest group [grupo de interés único] comité de acción política que concentra su labor en un solo asunto, y que trabaja en favor o en contra de un candidato político basándose sólo en la postura que éste tenga con respecto al asunto que les concierne (pág. 46)

single-issue party [partido de asunto único] partido que se concentra en un asunto de política pública (pág. 28)

single-member districts [un miembro por distrito] sistema por el que los votantes de cada distrito congresional eligen a un solo representante de entre un grupo de candidatos asociados con ese distrito, escogiendo a sólo un candidato para cada puesto público (págs. 26, 49)

slander [difamación oral] la difusión de falsas acusaciones malintencionadamente de forma verbal (pág. 97)

socialism [socialismo] filosofía económica y política que promulga que los beneficios de la actividad económica, es decir, a riqueza, deben ser repartidos de forma equitativa entre los integrantes de la sociedad; esto se puede lograr por medio de la nacionalización de los medios de producción y distribución de bienes y servicios (pág. 117)

soft money [contribución indirecta] dinero que se dona a distintas organizaciones locales de los partidos como parte de las campañas federales para "actividades de fomento" del partido, sobre el cual la ley federal ni fija ningún límite, ni exige que se rindan cuentas (pág. 38)

sound bite [declaración efectista] comentario memorable que puede emitirse en unos 35 a 45 segundos por los medios de comunicación (pág. 42)

sovereign [soberano] que goza de poder absoluto (pág. 7)

soviet [soviet] consejos de gobierno de la Unión Soviética (pág. 113)

Speaker of the House [Presidente de la Cámara] el miembro del Congreso que ostenta la mayor autoridad; puede someter a debate o a votación cualquier asunto ante la Cámara de Representantes y es el líder del partido mayoritario (pág. 59)

special district [distrito especial] unidad independiente creada para llevar a cabo una o más tareas gubernamentales a nivel local (pág. 126)

special session [sesión especial] periodo adicional de reuniones del Congreso a la que el Presidente tiene la opción de convocar en caso de emergencia (pág. 48)

splinter party [partido escindido] partido minoritario que se ha separado de uno de los partidos mayoritarios y suele estar encabezados por un líder sólido que no ganó la nominación del partido mayoritario al que pertenecía (pág. 28)

split-ticket voting [corte de boletas] práctica que consiste en votar por candidatos de diferentes partidos en las mismas elecciones (págs. 29, 34)

spoils system [tráfico de influencias] práctica de otorgar puestos gubernamentales y favores como recompensas políticas (pág. 79)

staff agency [agencia de personal] tipo de oficina administrativa que les ofrece apoyo a otros trabajadores (pág. 75)

standing committee [comité permanente] grupo del Congreso que se especializa en un tema y se encarga de todos los proyectos de ley relacionados con ese asunto (pág. 60)

state [estado] un colectivo de habitantes que reside en un territorio definido, denominado nación o patria (pág. 7)

statutory law [derecho escrito] conjunto de leyes que va aprobando la asamblea legislativa (pág. 120)

straight-ticket voting [voto partidista] práctica de votar únicamente por los candidatos de un cierto partido político (pág. 34)

straw vote [voto de prueba] encuesta en que se formula la misma pregunta a mucha gente (pág. 41)

strict constructionist [intérprete estricto] persona que al interpretar la Constitución, quería que los estados contaran con el máximo poder posible, y que opinaba que el mejor gobierno era el que menos intervenía en las tareas gubernamentales, y que el Congreso debería utilizar sólo aquellos poderes explícitos e implícitos imprescindibles para cumplir con su misión (pág. 53)

strong-mayor government [gobierno de alcaldía fuerte] forma de gobierno de alcaldía y junta en la cual el alcalde tiene mucho poder (pág. 127)

subcommittee [subcomité] pequeño grupo dentro de los comités del Congreso donde se lleva a cabo la mayor parte del trabajo relacionado con los proyectos de ley (pág. 61)

subpoena [citación] orden de la corte que obliga a alguien a comparecer ante una corte o a entregar algún material (pág. 57)

subsidy [subsidio] subvención monetaria que reciben los candidatos a la presidencia procedentes del tesoro federal y/o del estatal (pág. 38)

substantive due process [debido procedimiento sustantivo] el conjunto de normas justas bajo las cuales debe funcionar el gobierno (pág. 100)

successor [sucesor] sustituto (pág. 57)

suffrage [derecho de sufragio] derecho al voto (pág. 31)

surplus [superávit] exceso de dinero que se obtiene al ingresar más de lo que se gasta (pág. 82)

symbolic speech [discurso simbólico] comunicar ideas mediante el comportamiento (pág. 97)

T–U

tax [cobrar impuestos] imponer tarifas sobre los ciudadanos o sobre la propiedad para pagar por las necesidades públicas (pág. 54)

tax return [declaración de la renta] formulario que debe presentar todo aquel que gana dinero en los Estados Unidos indicando el valor del impuesto sobre la renta que debe pagar (pág. 81)

term [mandato] periodo de tiempo durante el cual los funcionarios cumplen su cargo después de las elecciones (pág. 48)

Three-Fifths Compromise [Acuerdo de los Tres Quintos] acuerdo que determinó que los estados podían contar a tres quintas partes de sus esclavos como parte de su población, lo que incrementó su representación en la Cámara de Representantes (pág. 14)

township [municipio] pequeña parte de un condado (pág. 126)

trade association [asociación de comerciantes] grupo de intereses formado por un segmento del sector comercial (pág. 45)

transient [residente temporario] ciudadano que vive en un estado sólo por un corto plazo y que, por lo tanto, no tienen derecho a votar en ese estado (pág. 32)

treason [traición] en los Estados Unidos, emprender un acto de guerra en contra de los Estados Unidos o prestar servicio a los enemigos de la nación (pág. 103)

treaty [tratado] acuerdo formal entre dos países soberanos, para el que es necesaria la autorización del Senado (págs. 19, 72)

trust [consorcio] monopolio en el que varias corporaciones de la misma industria se unen para eliminar la competencia y regular los precios (pág. 116)

trustee [depositario] una de las funciones que asumen los miembros del Congreso durante las votaciones que conciernen a los proyectos de ley, por la que piensan en los méritos de cada proyecto de ley, independientemente de las opiniones del electorado (pág. 51)

two-party system [sistema bipartidista] sistema bajo el que dos partidos políticos importantes dominan el panorama político (pág. 26)

UN Security Council [Consejo de Seguridad de la ONU] entidad dentro de la ONU que se ocupa de la principal responsabilidad de la organización: el mantenimiento de la paz a nivel global (pág. 88)

unconstitutional [inconstitucional] que va en contra de la Constitución (pág. 17)

uncontrollable spending [gastos inajustables] parte de los pagos que el gobierno está obligado por ley a hacer todos los años y sobre la que no tiene poder de cambiar (pág. 83)

unicameral [unicameral] compuesta por una sola cámara (pág. 11)

unitary government [gobierno unitario] tipo de gobierno en el que una sola administración central asume todos los poderes gubernamentales (pág. 8)

urbanization [urbanización] cantidad de población de un estado que vive en ciudades grandes o en barrios residenciales (pág. 128)

V–Z

veto [vetar] capacidad que tiene el Presidente para rechazar o no firmar cualquier acción del Congreso; el Congreso puede invalidar un veto si dos tercios de los congresistas de cada una de las cámaras vota por ello (págs. 17, 62)

Virginia Plan [Plan de Virginia] plan presentado en Filadelfia que sugería el establecimiento de tres poderes en el gobierno: el poder ejecutivo, una asamblea legislativa bicameral y las cortes; el número de representantes de cada estado estaría determinado por su riqueza y su número de habitantes (pág. 14)

ward [barrio] una zona reducida de una ciudad (pág. 29)

warrant [orden judical] decisión de un tribunal que autoriza una acción legal (pág. 124)

weak-mayor government [gobierno de alcaldía débil] forma de gobierno de alcaldía y junta en la cual el alcalde tiene poco poder (pág. 127)

welfare [asistencia social] dinero que los estados les dan a las personas pobres (pág. 128)

welfare state [estado benefactor] país que ofrece a sus habitantes servicios sociales gratuitos o a muy bajos costos (pág. 117)

whip [ayudante] asistente con que cuenta cada dirigente de la sala en el Congreso (pág. 59)

winner-take-all ["el ganador se lo lleva todo"] método de elección de delegados para la convención de un partido por el que el vencedor de la primaria en un estado se lleva los votos de todos los delegados del estado que estén en la convención (pág. 67)

writ of assistance [auto de asistencia] orden de registro que permitía a los oficiales británicos inspeccionar los hogares particulares durante la época colonial (pág. 101)

writ of certiorari [auto de certiorari] orden que se da a un tribunal inferior de que traslade el expediente de un caso a la Corte Suprema para que sea revisado; es el método por el que llega la mayor parte de los casos a la Corte Suprema (pág. 92)

writ of habeas corpus [recurso de *hábeas corpus*] orden judicial que obliga a todo oficial que detenga a alguien a explicarle por qué no debe ponerlo en libertad (pág. 102)

zoning [zonificación] práctica por la cual se divide una ciudad en distritos y se regulan los usos de la propiedad en cada distrito (pág. 127)

INDEX

G

H–I

J–K

P–Q

R

S

T–U–V

W–X–Y–Z